LESAGE

TURCARET

avec une Notice biographique, une Notice historique et littéraire,
des Notes explicatives, une Documentation thématique,
des Jugements, un Questionnaire et des Sujets de devoirs,
par

BERNARD BLANC

Agrégé des Lettres

LIBRAIRIE LAROUSSE

17, rue du Montparnasse, 75298 PARIS

RÉSUMÉ CHRONOLOGIQUE
DE LA VIE DE LESAGE
1668-1747

1668 — Le 8 mai, naissance d'Alain-René Lesage, à Sarzeau (Morbihan). Son père est homme de loi (notaire et greffier royal).

1677 — Mort de sa mère, issue d'une vieille famille bretonne.

1682 — Mort de son père. Jusqu'en 1686, l'enfant est confié à ses oncles, qui dilapident l'héritage.

1686 — Alain-René entre au collège des Jésuites de Vannes, où, entre autres, il prend le goût du théâtre.

1690-1692 — Études à Paris (philosophie, droit). S'inscrit au barreau. Travaille comme **clerc** d'un notaire et **commis** d'un traitant. Fréquente la société du **Temple**, élégante, moderne, libertine. L'auteur dramatique Dancourt le pousse à faire du théâtre.

1694 — Mariage simple et heureux avec une fille d'artisan : Marie-Elisabeth Huyard. Ils auront quatre enfants.

1695 — Lesage donne une traduction libre des *Lettres galantes* d'Aristénète, Grec du Vᵉ s. apr. J.-C., qui présentent la gamme des sujets amoureux à la mode sous la Régence. Aucun succès cependant.

1698 — L'abbé de Lionne, fils du ministre, joueur et homme d'esprit, devient son protecteur et lui assure jusqu'en 1715 une rente de 600 livres. Il le pousse vers l'étude et la traduction du **théâtre espagnol**.

1700 — Lesage publie la traduction de deux pièces espagnoles : *le Traître puni* (de Fr. de Rojas)[1] et *Don Félix de Mendoce* (Lope de Vega)[2].

1702 — Au **Théâtre-Français**, il fait jouer une traduction-adaptation : *le Point d'honneur*, d'après Rojas. On la siffle.

1704 — Il traduit le *Don Quichotte* d'Avallaneda (contemporain imitateur et continuateur de Cervantès).

1707 — Au **Théâtre-Français**, il donne son *Don César des Ursins*, adaptation de Calderon, et *Crispin rival de son maître*, pièce brillante inspirée d'un Espagnol. Seule cette dernière pièce, où Lesage commence à affirmer son originalité, a du succès. Du coup, il veut faire jouer sa pièce *les Étrennes*, mais la Comédie-Française la refuse... Il en tirera *Turcaret*. On élude aussi la représentation de *la Tontine*, peut-être parce qu'elle contient des satires osées et même des phrases subversives[3].
La même année, dans le **roman**, il se libère de ses modèles espagnols, et donne *le Diable boiteux*, dont le cadre est pris au roman de Guevarra (*El Diavolo cojuelo*), mais qui, dans son fond, se présente comme une grande revue satirique prenant la succession de La Bruyère.

1708 — Lesage vit à Paris, faubourg Saint-Germain, puis faubourg Saint-Jacques, dans une demeure très calme avec jardin.

---

1. XVIIᵉ siècle. Élève de Calderon; il sera imité par Thomas Corneille; 2. Célèbre auteur espagnol, prédécesseur de Corneille, à qui il fournit le modèle de *la Suite du « Menteur »*; 3. *Tontine* désigne à la fois un jeu de cartes et un système d'emprunts d'État...

© *Librairie Larousse*, 1973   ISBN 2-03-870080

Il refait *les Etrennes* sous le titre de *Turcaret* (15 mai). La pièce est refusée par les comédiens-français.

1709 — *Turcaret* est enfin joué, mais les comédiens-français, qui se sont soumis à un ordre du Dauphin (ou du duc de Bourgogne), se brouillent avec l'auteur; il n'y aura que sept représentations (14 février-15 mars). Lesage, soucieux de sa liberté, se tournera vers le *théâtre forain*.

1712-1734 — Il écrit pour le théâtre de la Foire vingt-neuf pièces seul et plus de cinquante en collaboration avec d'autres auteurs. Il reprendra sa *Tontine* sous le titre de *Arlequin colonel*. Éditions de ce **Théâtre de la Foire** : 1721, 1724, 1731, 1734.

1715 — Publie les livres I à VI de son roman (cette fois vraiment original, malgré de nombreuses dettes envers la littérature espagnole) : *Gil Blas de Santillane*. Grand succès.

1717 — Publie *Roland amoureux*, « remake » d'une traduction française du roman de Boiardo (XVe s. Grand roman d'aventures; qui sera suivi du célèbre **Roland furieux** de l'Arioste).

1724 — *Gil Blas*, livres VII-IX.

1726 — Troisième édition du *Diable boiteux*, augmentée des *Entretiens des cheminées de Madrid* (on sait que le diable Asmodée soulève le toit des maisons pour montrer ce qui se passe à l'intérieur).
Son fils aîné, sous le nom de Montmesnil, débute à la Comédie-Française — avec laquelle le père reste brouillé. Il assurera en 1730-1731 un succès à *Turcaret*.

1732 — Le Théâtre-Français donne enfin *la Tontine* avec vingt-quatre ans de retard! Aucun succès. Lesage publie deux romans : *les Aventures de Beauchêne* (histoires de flibustiers) et *Don Guzman d'Alfarache*, ouvrage de gagne-pain, classé « épopée réaliste ».

1734 — De la même eau, encore un roman vaguement inspiré des Espagnols : *Histoire d'Estevanille Gonzalès, surnommé le garçon de bonne humeur*, et *Une journée des Parques*, dialogue qui sera annexé au *Diable boiteux*. Fin de la publication du *Théâtre de la Foire*.

1735 — *Gil Blas*, livres X-XII.

1736 — *Le Bachelier de Salamanque*, roman où il pille une traduction des *Voyages de Thomas Gage dans la Nouvelle-Espagne* et... *Gil Blas*. Ce roman cependant est assez bon, et Lesage y tenait beaucoup.

1737 — Quatrième édition du *Diable boiteux*.

1740 — *La Valise trouvée*, roman où Lesage reprend des éléments des *Lettres galantes* de 1695.

1743 — Son fils Montmesnil meurt subitement. Tout en préparant des opuscules, Lesage vit retiré avec le reste de sa famille à Boulogne-sur-Mer.

1747 — Dernière édition de *Gil Blas*.
Le 17 novembre, Lesage meurt.

Les autres auteurs de comédies : Lesage avait sept ans de moins que Dancourt, treize de moins que Regnard... Destouches naîtra douze ans, Marivaux vingt ans après Lesage.

LESAGE ET SON TEMPS

	la vie et l'œuvre de Lesage	le mouvement intellectuel et artistique	les événements politiques
1668	Naissance d'Alain-René Lesage à Sarzeau, près de Vannes.	Racine : les Plaideurs. Molière : l'Avare. La Fontaine : Fables (I à VI).	Traité d'Aix-la-Chapelle. Les Français à Surate.
1686-1690	Études chez les Jésuites.	Fontenelle : Entretiens sur la pluralité des mondes. Leibniz : Discours métaphysique (en français).	Monarchie constitutionnelle de Guillaume III d'Orange (1688). Début de la guerre de la Ligue d'Augsbourg (1688-1697).
1690-1692	Études à Paris, où il s'installe définitivement.	Locke : Essais sur l'entendement humain. Coysevox sculpte le tombeau de Mazarin.	Les Turcs reprennent Belgrade (1690).
1694	Mariage.	Première édition du Dictionnaire de l'Académie; Dernières Fables de La Fontaine. Saint-Simon commence ses Mémoires.	D'Iberville conquiert Terre-Neuve.
1695	Traduit les Lettres galantes d'Aristénète.	Congreve : Love for Love.	Règne de Mustapha II (1695-1703).
1700	Théâtre espagnol.	Création de l'Académie des sciences de Berlin.	Testament de Charles II d'Espagne en faveur du duc d'Anjou.
1702	Le Point d'honneur.	Premier journal quotidien anglais : The Daily Courant.	Charles XII prend Cracovie.
1704	Traduction de Don Quichotte d'Avellaneda.	Newton : Traité d'optique. Galland traduit les Mille et Une Nuits.	Clément XI condamne les « cérémonies chinoises ».
1707	Crispin rival de son maître. Le Diable boiteux (roman).	Naissances des naturalistes Linné et Buffon.	La Dime royale de Vauban lui vaut la disgrâce. Élimination de Port-Royal et des jansénistes.
1708	Turcaret est refusé.	Regnard : le Légataire universel. Campra : Cantates françaises. Händel : la Resurrezione, oratorio.	Les Suédois battus à Dobroïe.
1709	Turcaret est donné au Théâtre-Français.	Watteau, prix de Rome.	Bataille de Poltava, défaite de Charles XII.

1712-1714	Lesage commence sa longue collaboration avec le théâtre de la Foire.	Fénelon : *Lettre sur les occupations de l'Académie.*	Bataille de Denain. Bulle *Unigenitus* condamnant le jansénisme. Traité d'Utrecht (1713).
1715	*Gil Blas de Santillane,* livres I à VI.	Addison : *le Tambour.*	Mort de Louis XIV.
1717	*Roland amoureux.*	Watteau peint *l'Embarquement pour Cythère.*	Pierre le Grand reçu en France.
1724-1730	*Gil Blas,* livres VII à IX.	John Gray : *The Beggar's Opera* (1728), dont la mélodie « Cotillon » est tirée du vaudeville de Lesage, *Télémaque.* J.-S. Bach : *Passion selon saint Matthieu* (1729). Marivaux : *le Jeu de l'amour et du hasard* (1730).	Fondation du Club de l'Entresol. Ministère de Fleury (1726-1743).
1732	*Don Guzman d'Alfarache. Les Aventures de Beauchêne.*	Voltaire : *Zaïre.* Naissance de Beaumarchais.	Traité franco-polonais de Varsovie.
1734	*Histoire d'Estevanille Gonzalès.*	Voltaire : *Lettres anglaises,* Montesquieu : *Considérations sur les causes de la grandeur des Romains et de leur décadence.*	Prise de Dantzig par les Russes.
1735	*Gil Blas,* livres X à XII.	Marivaux : *le Paysan parvenu.*	Guerre russo-turque.
1736	*Le Bachelier de Salamanque.*	Naissance de Lagrange.	Les Russes prennent Azov.
1737	*Le Diable boiteux,* 4ᵉ éd.	Rameau : *Castor et Pollux.* Fouilles d'Herculanum. Marivaux : *les Fausses Confidences.*	Les Turcs chassent les Russes de Crimée.
1740	*La Valise trouvée.*	Richardson : *Pamela.* Chardin : *le Bénédicité.*	Avènement de Frédéric II de Prusse. Guerre de Succession d'Autriche (1740-1748).
1743	*Dernières œuvres.*	Nattier peint la duchesse de Chartres. Naissances des savants Lavoisier et Monge.	Traité russo-suédois d'Abo.
1747	*Mort* (17 novembre).	Franklin découvre le principe du paratonnerre. Voltaire : *Zadig.*	Guerre franco-hollandaise : prise de Bergen-op-Zoom.

BIBLIOGRAPHIE SOMMAIRE

I. LES DEUX OUVRAGES DE FOND SUR LESAGE SONT :

    Eugène Lintilhac   *Histoire générale du théâtre en France*, tome IV.

    Eugène Lintilhac   *Lesage* (1893).

2. AUTRES OUVRAGES GÉNÉRAUX

    Gustave Lanson   *la Comédie au XVIIIe siècle* (1895).

    Ferdinand Brunetière   *les Epoques du théâtre français.*

    A.-J. Beuchot   *Notice sur la vie et les œuvres de Lesage* (2 vol., 1820).

    M. Bardon   *Préface et notice bibliographique pour le « Théâtre de Lesage »* (Classiques Garnier).

    Voltz   *la Comédie* (collection U, 1963), pp. 97 et sq.

3. SUR TURCARET

    Désiré Nisard   *Histoire de la littérature française*, tome IV, p. 2.

    Lintilhac   *Histoire générale...*, chap. III.

    A. Adam   *Histoire de la littérature française au XVIIe siècle*, t. V (1956), chap. X, p. 293 et sq.

4. POUR LE CONTEXTE HISTORIQUE ET SOCIAL, ON PEUT CONSULTER :

    Vuitry   *le Désordre des finances à la fin du règne de Louis XIV.*

    P. Clément et A. Lemoine   *Etude sur les financiers au XVIIIe siècle* (1895).

    L. Ducros   *la Société française au XVIIIe siècle*, chap. III, « Les financiers ».

    P. de Crousaz-Crétet   *Paris sous Louis XIV* (Plon).

    G. Mongrédien   *la Vie quotidienne sous Louis XIV* (Hachette).

    G. Ziegler   *l'Envers du Grand Siècle* (Laffont).

5. ÉDITION DES ŒUVRES COMPLÈTES DE LESAGE : Ed. Renouard, 12 vol., 1821.

TURCARET
1709

NOTICE

CE QUI SE PASSAIT VERS 1709

■ **EN POLITIQUE. En France :** *L'hiver de 1709 provoque de véritables famines, dans les campagnes surtout. Le pays est saigné par les innombrables guerres de Louis XIV (guerre de Succession d'Espagne, 1701-1714); en 1708, les Anglais et les Impériaux prennent Lille; en 1709, ils sont vainqueurs à Malplaquet. Depuis la révocation de l'édit de Nantes (1685), l'industrie et le commerce ont perdu, avec les protestants, bien des capitaux, des chefs d'entreprise capables et de bons ouvriers. L'Etat, en grande difficulté financière, émet des billets, renforce les impôts (on va sous peu instituer le dixième, premier impôt sur le revenu), change le cours de la monnaie, étend le système des fermiers généraux. Les dépenses de l'Etat passent de 116 millions de livres, en 1700, à 264 millions en 1711. A la mort du roi (1715), la dette publique s'élève à deux milliards et demi. On continue à persécuter les jansénistes : l'abbaye de Port-Royal des Champs est supprimée par le pape en 1708; l'année suivante, le roi en fait disperser les religieuses.*

À l'étranger : *Pendant que le pouvoir français s'use à détruire, à opprimer les consciences, à perdre de l'argent, la puissance russe monte : en 1709, Pierre le Grand vainc Charles XII de Suède à Poltava. Les Jésuites sont chassés de Hollande — l'un des refuges de la liberté d'expression. La Chine expulse des missionnaires chrétiens.*

■ **EN LITTÉRATURE.** *Première édition (posthume) de la Politique tirée de l'Écriture sainte, où Bossuet donnait le monument de la théorie monarchiste. Ses autres œuvres, depuis qu'il a quitté la chaire, sont surtout mystiques et ascétiques. Période de transition où fermentent les idées nouvelles. Le Dictionnaire historique et critique de Pierre Bayle (1697) est une ébauche de l'Encyclopédie. Les œuvres de Fénelon (Traité de l'éducation des filles, 1689; les Aventures de Télémaque, 1699; Traité de l'existence de Dieu, 1713), nourries de christianisme et de culture antique, annoncent cependant bien des idées de Rousseau. Fontenelle, curieux de toutes sciences (Entretiens sur la pluralité des mondes, 1686), avec un style mordant qui annonce Voltaire, pose, dans l'Histoire des oracles, les premiers jalons d'une critique historique de la religion. A la même*

époque, les Caractères de La Bruyère dénoncent, sans système, par honnê-
teté, les vices des gens en place, de la Cour, des financiers royaux. Saint-
Evremond, dans ses dernières années (1685-1692), a devancé, plus encore
que Fénelon dans sa Lettre sur les occupations de l'Académie (1714),
les conceptions modernes de l'histoire, que Montesquieu exprimera bientôt.
Prenant parti, dans la fameuse Querelle, pour les Modernes, il contribue
(avec Charles Perrault et Fontenelle) à la victoire de l'esprit moderne sur
la tradition et l'universalisme. Comme Fontenelle et Bayle, Saint-Evremond
compte parmi les « libertins », penseurs libres, amis du plaisir, du savoir,
de la raison, qui préparent la route aux philosophes du XVIIIe siècle.
Enfin, Lesage écrit le Diable boiteux, en 1707, et Gil Blas. A l'étranger,
le philosophe anglais Locke est mort en 1704; plus tard, ses idées seront
reprises par Voltaire et Condillac. L'Allemand Leibniz (Théodicée, 1710)
affirme le meilleur des mondes possibles.

■ **DANS LES ARTS. Arts plastiques** : *Fin du style Louis XIV. Mansart*
meurt en 1708. On achève la chapelle de Versailles. Œuvres du sculpteur
Coustou, du peintre Coypel. En 1709, Watteau, par une œuvre encore
traditionnelle, obtient le second prix de Rome; plus tard, il peindra avec
poésie le monde heureux de la Régence et ses fêtes galantes.

Musique : *L'opéra garde le style de Lully, avec sa psychologie factice,*
sa mythologie, son luxe de machines. Mais on évolue vers l'opéra-ballet :
en 1710, les Fêtes vénitiennes de Campra. Le genre culminera en 1735
avec les Indes galantes de Rameau. La musique apporte des œuvres de
valeur. François Couperin le Grand, célèbre organiste, donne au clavecin
sa littérature la plus originale peut-être, sous forme de pièces de genre.
André Campra et Jean Gilles, deux Provençaux, donnent des chefs-d'œuvre
à la musique religieuse (Requiem, Te Deum), et leur aîné M. R. de Lalande,
surintendant de la musique du roi, domine la musique sacrée avec ses
motets. Tous tentent une synthèse des styles italien et français. Cependant,
en Allemagne, Jean-Sébastien Bach (vingt-quatre ans en 1708) est déjà
célèbre organiste et a écrit plusieurs cantates. F. Couperin entretient avec
lui une longue correspondance. G. F. Haendel a fait jouer plusieurs opéras
italiens.

■ **DANS LES SCIENCES.** *La Dîme royale, de Vauban (1707), qui*
contient un bref mais terrible réquisitoire contre l'inégalité et la misère,
propose une réforme des impôts et un premier essai de statistique pour la
planification économique et financière.

Mathématiques : *Leibniz et ses disciples (les frères Bernoulli) déve-*
loppent le calcul analytique et différentiel, parallèlement à l'école de
Newton. L'astronomie de celui-ci ne sera répandue en France qu'à la
génération suivante (Lettres anglaises de Voltaire en 1734).
On mesure la Terre. Denis Papin fabrique un bateau à vapeur à Cassel
(1707).

REPRÉSENTATIONS DE « TURCARET »

Les comédiens-français donnèrent la première représentation de *Turcaret*, pièce comique en cinq actes et en prose de Lesage, le 14 février 1709. La première lecture en aurait été faite dès le 15 mai 1708, d'après les feuillets d'assemblée. Pourquoi un tel retard? Sans doute est-ce dû tout à la fois au sujet et au type de l'œuvre : une comédie satirique jouant les financiers, dont la puissance était alors extrême, comme en témoignent d'autres œuvres littéraires à peu près contemporaines. Peut-être, les comédiens capitulèrent-ils sous la pression des financiers, ou se laissèrent-ils séduire par des libéralités de même origine, ou les deux à la fois. Toujours est-il qu'il fallut, si l'on en croit les frères Parfait[1], qu'un commandement exprès, en date du 13 octobre 1708, les contraigne à jouer la pièce : « Monseigneur, étant informé que les Comédiens du Roi font difficulté de jouer une pièce intitulée *Turcaret ou le Financier*, ordonne aux dits comédiens de l'apprendre et de la jouer incessamment. » Encore peut-on voir le délai écoulé entre la réception de l'ordre et son exécution. On pense que le Grand Dauphin, ou le duc de Bourgogne, Fénelon peut-être même seraient intervenus en faveur de Lesage. D'autre part, au bout de sept représentations, la pièce était retirée de l'affiche, sans que l'échec puisse être invoqué autrement que comme prétexte. En effet, la dernière représentation fit une recette de 653 livres 4 sols. Or, la chute était évidente lorsque le chiffre tombait en dessous de 300 livres en été, ou 500 livres en hiver. Dans ce cas, elle tombait « dans les règles », et le manuscrit redevenait la propriété de l'auteur. Ici, le texte resta à la Comédie-Française, fut repris en 1730-1731, avec Montmesnil, fils de Lesage, et obtint le succès. L'auteur, depuis cette aventure, stigmatise les comédiens dans ses œuvres : il n'est que de lire le *Gil Blas* pour se convaincre de son amertume.

Le sort de *Turcaret* n'est, mais à un moindre degré, pas sans certaines analogies avec celui du *Tartuffe* et du *Dom Juan* de Molière : même difficulté à obtenir que la pièce soit jouée, même besoin d'une intervention pour y parvenir que pour le *Tartuffe*; même retrait rapide de l'affiche sans que le succès soit mis en cause que pour le *Dom Juan*. Sans doute, en effet, les financiers, contraints de laisser représenter *Turcaret*, s'attachèrent-ils à en limiter le succès; leur tâche fut d'ailleurs grandement facilitée par la conjoncture : le roi, pressé d'argent dans un royaume exsangue, ne pouvait guère se passer de leurs services ou les mécontenter. *Turcaret* servit probablement de monnaie d'échange.

De nos jours, *Turcaret* a retrouvé une nouvelle jeunesse grâce aux représentations du Théâtre national populaire (Paris, 1961),

---

1. Les frères Parfait, *Histoire du théâtre français* (Paris, 1734-1749).

du Théâtre de Bourgogne (Beaune, 1964) et de la Comédie de l'Ouest en 1965.

ANALYSE DE LA PIÈCE

(Les scènes principales sont indiquées entre parenthèses.)

■ *ACTE PREMIER*. **La Baronne entre l'amour et l'intérêt.**

Marine, suivante de la Baronne, reproche à celle-ci de se laisser duper par un jeune chevalier joueur, qu'elle aime : elle ferait mieux de s'attacher uniquement à son autre soupirant, le traitant Turcaret, qu'elle pourrait épouser ou ruiner. Arrive Frontin, valet du Chevalier : à force d'éloquence, peignant son maître près de se suicider parce qu'il s'est ruiné au jeu, il obtient de la Baronne un diamant que lui avait offert Turcaret (**scène II**). La Baronne essuie de nouveaux reproches de Marine pour cette faiblesse, quand arrive Flamand, valet de Turcaret, qui apporte un billet doux ridicule et un copieux billet au porteur qui compensera la perte du diamant (**scène IV**). Puis Turcaret lui-même survient, fait un brin de cour à la Baronne, qui lui répond par des minauderies hypocrites (**scène V**). Pour que nous ayons vu tous les personnages principaux, le Chevalier vient à son tour, remerciant sa bienfaitrice; il est accompagné de Frontin, dont il ne peut se passer. Marine, qui émet des réflexions trop franches, est chassée, et l'on complote de placer Frontin chez Turcaret, pour mieux circonvenir le financier (**scènes VIII et IX**).

■ *ACTE II*. **Frontin prend en main les affaires de tout le monde.**

A la place de Marine, Frontin place chez la Baronne sa « protégée » Lisette. N'est-il pas déjà trop tard ? En effet, Marine, par rancœur, est allée dénoncer au traitant les intrigues de la Baronne, et Turcaret surgit. Sa grande scène de dépit et de colère tourne à sa confusion, grâce au savant cabotinage de sa maîtresse (**scène III**). Profitant de son avantage, celle-ci lui présente alors Frontin, qui sera son nouveau laquais : celui-ci joue l'ingénu devant son nouveau maître, puis fait cyniquement la leçon à Lisette, la présente au Chevalier (**scène VIII**), se fait confier par celui-ci le soin de changer en espèces le billet de la Baronne, et enfin se promet à lui-même une belle carrière.

■ *ACTE III*. **Turcaret, l'homme d'affaires, se croit invincible.**

Voilà les deux valets complices à l'ouvrage : Frontin va commander pour la Baronne un grand souper... aux frais du Chevalier; Lisette encourage habilement sa maîtresse à aimer son jeune galant. On n'entrevoit pas encore clairement où tout cela mènera. Arrive Turcaret, repentant, qui annonce les achats somptueux qu'il a faits pour remplacer les objets qu'il a brisés dans sa scène de colère. Comme s'il n'était pas assez ridicule, alors même qu'il vient ainsi d'afficher glorieusement sa munificence, survient un jeune Marquis — ami du Chevalier —, qui reconnaît en Turcaret un usurier à qui il avait dû abandonner un diamant. On peut s'en douter, c'est précisément celui que la Baronne avait prêté au Chevalier et que, heureusement, elle a récupéré après lui avoir donné le billet au porteur. Le Marquis s'amuse à renseigner la Baronne sur les origines sociales de Turcaret, qui fut laquais de son père, et le bonhomme crève de ridicule (scène IV). Mais il va nous apparaître maintenant sous un autre aspect : la Baronne le laisse seul avec M. Rafle, son homme d'affaires et usurier. Selon les dires de celui-ci, les affaires de Turcaret vont mal ; mais ce dernier est très sûr de lui et de ses appuis (scène VII). Après avoir mené ses propres affaires avec dureté, le traitant consent — par amour — à charger Frontin de l'achat d'un « équipage » pour sa bien-aimée. Le duo des valets ébauche un rêve d'amour et d'argent : pour commencer, ils vont rogner sur l'argent destiné au carrosse.

■ *ACTE IV.* **Un joli monde, où chacun croit jouer les autres, et où la crapulerie s'étale.**

Le Chevalier et le Marquis s'entretiennent cyniquement d'une certaine comtesse courtisée par ce dernier : on apprendra que c'est la même que le Chevalier avait prétendu sacrifier à la Baronne. Un nommé Furet, huissier, vient, en présence de Turcaret, présenter à la Baronne un « exploit » concernant les dettes de feu son mari ; dettes que le traitant s'empresse de payer, et voilà 10 000 livres qui iront dans la poche de Frontin, car c'est lui qui a tout machiné (scène VII). Puis la Baronne a la visite de Mme Jacob, « revendeuse à la toilette », qui lui révèle que Turcaret est son frère, qu'il n'est point veuf, qu'il tient sa femme éloignée grâce à une pension, et laisse sa sœur dans la misère (scène X). La Baronne songe alors à rompre, mais Lisette l'engage à ne pas s'y résoudre avant d'avoir ruiné le financier.

■ *ACTE V.* **Le monde des maîtres s'écroule grotesquement, le couple des valets prend la relève.**

Flamand, l'ancien domestique de Turcaret, qu'a remplacé Frontin, se présente dans son nouvel uniforme de capitaine-concierge ; il prie la Baronne de ne pas lâcher Turcaret, puisque c'est à eux deux qu'il doit son nouvel emploi (scène III). Autre apparition savoureuse : le Marquis arrive pour le souper, flanqué de sa comtesse de province (scène VI) ; le Chevalier la reconnaît, ce qui le gêne car il a donné son portrait en sacrifice à la Baronne (scène VII) ; mais ce qui est pis, Mme Jacob reconnaît la prétendue comtesse pour être la femme de Turcaret (scène VIII)! Les deux mégères se disputent. Le Marquis a la merveilleuse idée de les inviter au souper, quand Turcaret arrive. Il renie sa femme. Le Marquis et le Chevalier, confondus, se retirent du jeu. Mais on vient dire que Turcaret a été volé par un de ses caissiers, que c'est la banqueroute. Il ne reste peu à peu plus personne de tout cet imbroglio de personnages disparates. La Baronne a congédié son chevalier, qui congédie Frontin. Celui-ci reste seul avec Lisette. Il a gagné 40 000 francs; son règne va commencer (scènes **XIII** et **XIV**).

« TURCARET » DANS L'HISTOIRE LITTÉRAIRE

Les théâtres vers 1708.

Pendant la jeunesse de Lesage, les *comédiens-italiens* donnaient déjà des comédies en français. Mais, en 1697, leurs gaillardises et, sans doute, leurs allusions politiques déplaisent à Mᵐᵉ de Maintenon et donc au roi, qui fait fermer leur théâtre. Ce n'est que vingt ans plus tard que le Régent fera reconstituer une troupe italienne, sous la direction de Riccoboni, qui sera le Lélio de Marivaux.

Des pièces qu'ils jouèrent en français, il nous reste plus de cinquante, dont plusieurs sont dues à des auteurs connus : Regnard, Dancourt, etc. Ce répertoire, qui se maintient dans le registre de la farce, a l'intérêt de présenter un tableau complet des mœurs de l'époque.

Lesage a vingt-sept ans quand les Italiens sont chassés; il en est à ses premiers essais littéraires et commence à étudier le théâtre espagnol. Or, à ce moment-là, le relais des Italiens est pris par le *théâtre forain* (foires de Saint-Germain et de Saint-Laurent, remontant au Moyen Age), qui a longtemps rivalisé avec eux. Les forains vont dépasser le stade des marionnettes, farces, spectacles de variétés en plein air; ils construisent de vraies salles, imitent les comédiens italiens. En 1706, à Saint-Germain, on compte ainsi sept salles présentant des comédies franco-italiennes, avec chants, danses, divertissements. Viennent au spectacle aussi bien les amateurs peu fortunés que les jeunes seigneurs.

Mais ce théâtre, frappé à son tour d'interdiction, n'a pas le droit de faire dialoguer ni même chanter ses acteurs. On invente alors le vaudeville, pièce muette au cours de laquelle des couplets, affichés ou distribués, sont chantés par les spectateurs sur les airs connus.

Comme Regnard ou Dufresny avaient fourni les Italiens, Lesage vient au secours des comédiens forains tant qu'ils peuvent jouer de vraies pièces. Il leur donnera plus de cent comédies, dont il écrira plusieurs en collaboration avec d'autres auteurs. Les lourdeurs ou les facilités qu'on pourra trouver dans *Turcaret* sont en partie imputables à l'influence qu'a pu exercer le public de la foire sur l'écrivain, qui, en revanche, a su ôter considérablement à la grossièreté habituelle à ces spectacles.

Si *Turcaret* a été joué par les comédiens-français — car la pièce méritait d'être reçue dans la maison de Molière —, Lesage ne jugera pas bon de perdre sa liberté pour rester leur fournisseur. Il a rendu aux forains ce qu'il devait aux Italiens ainsi qu'aux écrivains français qui avaient écrit pour les uns et pour les autres.

La comédie après Molière.

« La génération de 1680 voit se produire sous ses yeux un étonnant bouleversement des cadres sociaux, des idées et des mœurs, écrit M. Voltz. Un mouvement général porte alors les écrivains à peindre ce bouleversement, qui les étonne, les scandalise ou les amuse... Ils renoncent aux ambitions des humanistes et s'efforcent de peindre leur époque et ses particularités. »

La succession de Molière était lourde à prendre; pourtant, cette génération voit la comédie en pleine vitalité. On continue à écrire des farces, des comédies de caractères, mais la grande nouveauté est l'essor de la *comédie de mœurs*. Il ne faut pas trop nous étonner que ne figure à cette époque aucun grand nom ni que si peu de pièces aient survécu : c'est la rançon de ce choix, car la comédie de mœurs est destinée principalement à ses contemporains; l'auteur, tenté par le réalisme intégral, tend à diminuer la part de la véritable transposition artistique, qui permettrait de constituer une œuvre d'art défiant le temps.

Parmi les écrivains qui participèrent à ce mouvement, on doit cependant relever quelques noms, particulièrement ceux de Dancourt et de Saint-Yon, qui font figure de promoteurs. Le premier présenta, dans le *Chevalier à la mode*, un exemple de cette comédie sans personnages sympathiques, dont *Turcaret* est le chef-d'œuvre. Les deux auteurs précités s'efforcent de garder la structure classique de la grande comédie en cinq actes; à l'inverse des comédiens de foire, qui enfilaient une série de « sketches », ils maintiennent l'intrigue, la liaison des entrées et sorties, conservent aux personnages assez de consistance et de cohérence psychologiques pour qu'ils ne soient pas les simples représentants d'une coutume, d'un vice, d'une classe sociale. Certes cela ne peut se faire sans piller quelque peu Molière.

SOURCES ET ENTOURAGE LITTÉRAIRES DE « TURCARET »

Lesage, qui travaille dans la même direction, ne s'en privera pas non plus. Le Harpin de *la Comtesse d'Escarbagnas*, percepteur au verbe haut, inspire sans doute le langage de Turcaret en colère. La querelle du Misanthrope avec Célimène est transposée en scène de ménage (acte II, scène III). Turcaret, berné par celle qu'il aime, fait souvent penser à l'Arnolphe de *l'Ecole des femmes*.

Aux contemporains, Lesage emprunte aussi. Noland de Fatouville lui fournit, outre le nom de M. Rafle, le personnage de Persillet dans *le Banqueroutier* : usurier et financier, comme Turcaret, il a « le faste et le mauvais goût de Turcaret dans son costume tout chargé de rubans rouges, ainsi que dans le langage de ses déclarations » et il a l'assurance, le donjuanisme de bas étage d'un homme qui sait que sa fortune suppléera à son défaut de charme. De même Dancourt, dans *l'Eté des coquettes*, montre un financier qui essaie de prendre le bon ton et donne un souper en musique. Dans *le Retour des officiers*, du même, l'intervention de Maturin brise les projets de son frère le financier, comme le fera la sœur de M. Turcaret.

Mais, plus généralement, il faut se rappeler que le théâtre italien et celui de la Foire présentent toutes les facettes d'une société que l'on satirise sans en épargner aucune catégorie. « Dans les deux sexes, de la plus verte adolescence à la maturité la plus chenue, des tendrons de quinze ans aux barbons de soixante et plus, de l'armée à l'Église, du palais à la boutique, la galanterie sévit et s'étale. » (Lintilhac.) Dans la réalité comme au théâtre, on voit en première place la question d'argent : le plaisir ne peut exister sans lui. Les solutions les plus courantes sont l'escroquerie au jeu ou en affaires. Le foyer conjugal est pourri; les femmes entretiennent des officiers, dilapident un argent qu'il faut trouver de toutes les manières : par le jeu, les petits trafics et le recours aux partisans (les fameux PTS de La Bruyère), dont fera partie notre Turcaret.

Dans ce monde évoluent des filles ou des jeunes femmes dont on a du mal à dire si elles ne sont pas des professionnelles de la galanterie vénale, comme celui de Dancourt. On ne distingue plus un cabaret d'un restaurant élégant, et les amants invitent les maris à leurs parties. Une comédie nous montre une femme fraîchement mariée transformant son appartement en « académie de jeux défendus », puis, « ne sachant plus où trouver de l'argent pour jouer, aller dénoncer elle-même qu'on jouait chez elle. Elle fut condamnée à 3 000 livres d'amendes, son mari les paya; elle reçut le tiers comme dénonciatrice » (Regnard, *le Divorce*).

Le Banqueroutier, de Noland de Fatouville, et son *Marchand dupé* évoquent aussi les liens entre la galanterie et la question d'argent.

Le moins que l'on puisse conclure de cet aperçu, c'est que la matière de *Turcaret* n'est pas originale. Resterait à savoir dans quelle mesure il n'a pas, comme ses devanciers, puisé simplement dans la réalité.

ORIGINALITÉ DE LESAGE

En tant qu'auteur de comédies, Lesage a commencé par imiter des pièces espagnoles : après avoir échoué dans sa tentative de restaurer la comédie romanesque, il sera conduit, toujours par les Espagnols, à la peinture des mœurs; le tournant a lieu en 1707 avec *Crispin, rival de son maître*. Ce qui frappe, c'est son émancipation progressive à l'égard de ses modèles : il passe de la traduction libre à l'adaptation, puis s'inspire librement de plusieurs modèles.

Comment utilise-t-il ses modèles français? Souvent, il ternit les effets. Ainsi, le refrain pris à la célèbre scène du *Tartuffe* : « Le pauvre homme! » se réduit (acte premier, scène II) à une seule réplique de Marine : « Le pauvre chevalier! » De même pour la scène du sonnet :

Molière, dans *les Précieuses*, puis dans *le Misanthrope*, avait montré le ridicule des poèmes galants artificiels et l'impossibilité de commenter un poème sans tomber dans la paraphrase; dans *les Femmes savantes*, il va constituer sur ce thème une scène extraordinaire d'hystérie collective, de bêtise, de verbiage creux et prétentieux. Voyez maintenant comment, dans *Turcaret*, la reprise de ce sujet tourne court (acte premier, scène IV) : lecture du quatrain manqué, deux répliques, quelques commentaires d'une ironie assez lourde à la scène suivante... Mais, si l'on y réfléchit bien, tout cela est parfaitement en place : Turcaret est peint dans son quatrain, les autres ne manifestent pas plus d'esprit qu'ils ne peuvent, et il n'y a pas grand-chose à dire, parce que le poème, contrairement aux sonnets acceptables ou même beaux que ridiculise Molière, est raté au-delà de toute mesure.

Mais il faut sortir de ces minuties et chercher dans l'ensemble de l'œuvre son originalité. Contrairement à ses contemporains, Lesage ne renonce pas à l'intrigue, qu'il choisit non pour sa vraisemblance ou son réalisme — comme celle du *Divorce*, dont nous avons parlé, et qui ne peut qu'avoir été empruntée à la réalité —, mais pour ses possibilités théâtrales. De même les personnages ne sont pas saisis dans des « tranches de vie » juxtaposées : toutes les scènes convergent sur une présentation de Turcaret ou sont liées au double mouvement de l'intrigue : chute de Turcaret, ascension de Frontin. « Lesage ne s'attarde pas, comme le fait Fatouville dans *Arlequin Grapignan*, à présenter longuement le dessous des affaires », note M. Voltz. Les personnages vont — hormis celui qui, momentanément, triomphe — jusqu'au bout de leurs possibilités, ce qui leur assure, faute de complexité, une cohérence et une présence..., et, du coup, une force comique. Dans cette comédie de mœurs, on pourra donc étudier l'action et les caractères, et non pas seulement le document.

« TURCARET » COMME ÉTUDE DE MŒURS

L'époque.

A l'époque de Lesage, un vaste mouvement s'opère dans les classes sociales. Les nobles s'ennuient à la cour dévote du vieux roi, soutiennent de moins en moins le pouvoir, vivent dans le luxe et s'adonnent au jeu. Pour accroître la décadence de l'aristocratie, les titres nobiliaires, monnaie dévaluée, se multiplient, sont achetés ou usurpés, ne représentent souvent ni terres ni bénéfices ecclésiastiques. Les innombrables chevaliers, marquis ou vicomtes sont sans le sou, empruntent, se font entretenir, jouent éperdument. Ils s'acoquinent avec leurs domestiques, voisinent avec le peuple aux spectacles de la foire Saint-Germain, deviennent les familiers d'hommes d'affaires ou d'usuriers, se distinguent de moins en moins des bourgeois et comptent parmi leurs pairs un nombre croissant de roturiers enrichis.

Les bourgeois sont en pleine ascension; c'est la suite du mouvement qu'avait perçu Molière, lui qui sut si bien mettre en scène les classes intermédiaires. Tout s'achète. Toute mode est bonne à singer : le libertinage de la ville ou l'austérité de la Cour; la galanterie précieuse ou le débraillé; et partout le rêve magique du luxe. Le divertissement à la mode chez les nobles et les bourgeois assez riches, c'est l'Opéra, qui est le music-hall et le Châtelet de l'époque, mais aussi, depuis 1681, le lieu de rencontre des danseuses, nouvelles catégories de courtisanes.

Il faut faire une place spéciale à ces nouveaux riches, quelquefois plus puissants que la haute noblesse, indispensables au roi, que sont les magnats de la finance. Par la spéculation et l'usure, dans un royaume misérable où l'État emprunte et ne rembourse pas, où toute la belle société a besoin d'argent, de simples commis sont devenus banquiers, certains financiers font une irrésistible ascension. Les uns sont hommes de goût; beaucoup d'autres se contentent de singer les nobles — et bien sûr l'auteur comique ne veut voir que ceux-là! En tout cas, même si on les hait sourdement, on leur prodigue les plus grandes marques de respect, on ne déchoit pas en épousant leurs filles.

Le cas le plus célèbre est celui de Samuel Bernard, qui est peut-être un des modèles de Turcaret. Saint-Simon évoque, dans ses *Mémoires*, une fameuse promenade à Marly qui est contemporaine de *Turcaret*, où le roi manifesta une déférence inhabituelle envers un roturier (voir Documentation thématique).

La pièce nous révélera peu à peu avec précision la composition de ce demi-monde et les origines sociales de certains personnages. Mais, déjà, la distribution nous rapproche de celle du *Bourgeois gentilhomme* et de *l'Avare*, en même temps que les deux petits-maîtres continuent à leur manière les soupirants des *Précieuses ridicules* et des *Femmes savantes*, et le duo Acaste-Clitandre du *Misanthrope*. Nous savons déjà que nous vivons dans un monde intermédiaire entre la bourgeoisie et la noblesse. L'abondance des valets et suivantes — qui s'ajoutent, parmi les personnages de second rang, à Rafle, Furet et Mme Jacob — fait pressentir que les personnages actifs ne seront pas forcément les gens « de qualité ». Par ordre décroissant, les titres nobiliaires sont : marquis, comte, vicomte, baron, chevalier.

On peut noter les précisions apportées par l'auteur : *coquette, usurier, fourbe*; si l'on pense que *traitant* et *petit-maître* sont déjà, pour la foule, des qualificatifs peu honorables, il ne nous reste, dès la lecture du « générique », que peu d'illusion sur la moralité qui va régner dans cette pièce.

Les noms.

— Turcaret peut suggérer « tête de turc », et « traiter quelqu'un de Turc à More ». La terminaison du nom rappelle le Persillet de

Noland de Fatouville, Farfalet, Grillet, qui furent sur la scène des devanciers de Turcaret.

— Le Chevalier, le Marquis, la Baronne, devenus des types, n'ont même plus besoin de noms propres. Ce sont des classes sociales incarnées.

— Rafle et Furet : surnoms de types populaires à rapprocher de Chicaneau, l'Intimé, dans *les Plaideurs*.

— Mme Jacob : son nom précise qu'elle est juive. Juifs et Turcs sont traditionnellement, dans la farce classique, des usuriers, fourbes, entremetteurs douteux, etc.

— Frontin : personnage de la comédie italienne. Dans *le Père prudent et équitable*, qui est contemporain, Marivaux désigne son Frontin : « fourbe employé par Crispin », lequel est un valet...

— Flamand : on a vu souvent chez Molière des valets appelés selon leur province d'origine : Picard, Champagne... Voir le parler de Flamand (acte IV, scène III).

— Marine : nom de jeune fille, analogue aux Mariane ou Marinette qui, de Molière à Marivaux, sont filles de bourgeois ou soubrettes, souvent fausses ingénues.

— Lisette : avant d'être chez Marivaux (qui l'emploie dans onze pièces) une soubrette très intelligente, éduquant et guidant sa maîtresse tout en servant ses amours, et capable de jouer le rôle de celle-ci, Lisette fut, dans *l'Ecole des maris* de Molière, une soubrette divertissante et de bon sens, que son franc-parler et son franc-penser rendent proche des servantes de *l'Avare*, des *Femmes savantes*, etc. Ici, comme Frontin, elle est à mi-chemin entre Molière et Marivaux, mais elle a un cynisme qui est propre à tout ce monde de *Turcaret*, plus bas — ou moins déguisé? — que celui qu'on trouve chez les deux autres auteurs.

PORTÉE SATIRIQUE, MORALE ET DOCUMENTAIRE DE LA PIÈCE

Lesage est un petit-bourgeois, esprit indépendant, observateur, bon enfant. Il n'est pas un censeur impitoyable des mœurs de son siècle, selon l'expression consacrée. Aucun des personnages de sa pièce n'est bon, mais l'auteur ne veut pas pour autant en faire une pièce noire. Il ne se réjouit pas non plus cyniquement du « ricochet de fourberies le plus plaisant du monde ». Il prend soin, par la bouche du Diable boiteux, de nous expliquer son dessein : « Le public aime à rire aux dépens de ceux qui le font pleurer. » Cette phrase laisse supposer que les spectateurs, quelles que fussent leurs origines, considéraient les financiers et bien des nobles comme la cause de leurs malheurs. Pourtant il ne faut pas croire que la pièce ait eu, à son époque, une puissance de choc considérable : certes sa création a coïncidé avec une famine que les spectateurs devaient au moins ressentir indirectement, et avec la promenade de Marly. Mais elle ne déchaîna pas une cabale comparable à celle du *Tartuffe*. Devant les manœuvres dilatoires de quelques gros personnages qui se sentaient visés, Lesage ne montra pas l'entêtement héroïque de Molière : *Turcaret* n'avait certes pas pour lui une importance aussi grande que le *Tartuffe* pour Molière. Et puis, cette pièce ne faisait pas preuve d'une grande virulence; et Lesage n'était pas le premier à jouer les hommes de finance : il n'a fait que les porter à la hauteur d'un type comique.

Les metteurs en scène de notre temps ont tendance à accentuer les intentions et la portée polémique de cette œuvre. Mais le règne de Frontin qui commence, ce n'est pas la revanche du pauvre sur le riche. C'est la relève d'une classe de parvenus et d'exploiteurs par une autre, ou presque la relève d'une génération (de crapules) par une autre. Le Diable boiteux prend soin de nous en avertir : « Les bonnes dispositions de Frontin ne font-elles pas assez prévoir que son règne finira comme celui de Turcaret? »

Toutefois, si l'auteur, bonhomme, se garde autant de l'indignation envers le financier que d'une complicité complaisante avec le valet fourbe, le tableau qu'il nous peint, ou plutôt le processus qu'il déroule sous nos yeux donne à réfléchir. Dans ce monde, comme dit Lisette, « l'air qu'on respire est contraire à la modestie ». Et tous ceux qui sont « modestes », c'est-à-dire en demi-mesure, sont éliminés au profit des « génies supérieurs ». Que l'on voie la chose à l'échelle d'une société ou des individus, le mal se détruit lui-même, mais parce qu'il est contagieux et que les disciples arrivent un jour à dépasser leurs maîtres.

Outre sa portée morale, l'intérêt documentaire de la pièce apparaît alors plus nettement : elle témoigne d'une époque où, à la faveur d'un grand mélange de conditions et de manières, les qualités qui auraient pu compenser — sinon justifier — l'écrasante supériorité financière des grands s'effondrent, cependant que les hommes issus des basses couches de la société (aussi bien Turcaret que Frontin) peuvent se faire les familiers des grands, les singer, intelligemment quelquefois, et, s'ils ont de l'esprit, l'utiliser à la lutte qu'ils mènent contre ceux qui jusqu'ici détenaient toute culture. Époque de transition, de destruction; fin d'une aristocratie traditionnelle; époque d'arrivisme, de cynisme et de libertinage. Ainsi *Turcaret* est un des documents dont nous disposons pour nous représenter ce temps, autant par le contenu objectif de la pièce que par l'attitude de l'auteur, révélée par le style.

VALEUR LITTÉRAIRE

L'action.

Malgré ce que nous avons dit de la cohésion de l'action dans cette pièce, relativement aux œuvres contemporaines, il faut bien reconnaître que l'auteur procède ici un peu comme dans son roman du *Diable boiteux*. On dirait volontiers aujourd'hui que le monde évoqué par La Bruyère dans un éparpillement de « clichés » et de « courts métrages », Lesage le concentre dans une « comédie-revue », où les représentants de ce monde interlope et sans scrupule défilent devant nous, s'en vont, sont évoqués à l'occasion.

L'unité de la pièce serait alors surtout unité de temps et de lieu : une journée chez la Baronne. Le premier acte a lieu le matin, la Baronne boit son chocolat, et la catastrophe a lieu tout bonnement le soir ; elle est symbolisée par ce souper dont on a tant parlé, dont on nous a dit le prix, le menu, et qui ne peut avoir lieu ; ce dîner auquel malignement (le Malin, ici, c'est ce petit farceur de Marquis) on a invité, histoire de rire, un certain nombre de personnes qui ne pourront se rencontrer sans éclat. On verrait alors Frontin dire ses dernières phrases devant une desserte chargée de vaisselle inutile ; et dans l'ombre les musiciens errant en demandant leurs gages, cherchant vainement pour qui « donner la symphonie »...

Ce serait oublier quelle attention Lesage a portée à l'intrigue, à l'unité de l'action. Certes, la structure de la pièce n'est pas très claire, notamment la division en actes, dont nos sous-titres n'ont fait que donner une idée bien approximative. Vue en gros, l'action simule bien une sorte de bataille ou de jeu d'échecs. Aux deux premiers actes, le Chevalier et Frontin installent leur dispositif pour « plumer » et même ruiner Turcaret par l'intermédiaire de la Baronne. Après avoir fait renvoyer Marine, alliée trop indépendante, Frontin et Lisette, ayant changé de places sur l'échiquier, commencent à mener le jeu à leur profit, cependant que, avec l'aide de la Baronne, ils neutralisent les effets de la trahison de Marine. Aux actes III et IV, Turcaret croit tenir bon en affaires, où il prend des risques, et en amour, puisqu'il y met le prix. Les attaques cependant se multiplient : ridiculisé par le Marquis, grugé par le couple des valets, compromis par les révélations de Mme Jacob, il voit cependant la Baronne maintenir son alliance avec lui. Hélas ! c'est au profit de Frontin et de Lisette, qui, après avoir dominé le Chevalier, sont maintenant les maîtres du traitant. Les menaces s'accumulent et, à l'acte V, une fois Turcaret confondu, ruiné, évincé, les alliances se défont, hormis celle du couple de fourbes qui sort vainqueur de cette journée des dupes.

Voir ainsi les choses risque de rendre trop vraisemblable et de soumettre à une logique trop intellectuelle une intrigue qui est surtout conçue selon les possibilités proprement théâtrales qu'elle offre. A ce titre, Lesage ne s'embarrasse pas trop des principes classiques : on eût pu, au XVIIe siècle, lui reprocher de faire disparaître un personnage d'une certaine importance après le premier acte ; d'amener artificiellement et sur le tard un Marquis qui n'était pas nécessaire à l'action, etc. L'éviction de Marine permet de donner à l'arrivée de Frontin et de Lisette l'allure d'un coup de force, d'une première victoire, et fait pressentir qu'un ensemble constitué va se défaire au profit d'un autre. Le Marquis, lui, se donne la comédie dans la comédie ; il corse les rencontres, agence les confrontations du dernier acte, contribue non seulement à nous renseigner sur Turcaret, mais à détacher de celui-ci la Baronne; son utilité est multiple. La Comtesse et son portrait — élément des intrigues romanesques — permettent de ménager une « reconnaissance » dérisoire qui gêne bien des personnages à divers titres et force Turcaret, reniant épouse et sœur, à se révéler davantage, et à affronter, avant la ruine, les sarcasmes du Marquis et la punition que veut lui imposer sa maîtresse, deux sources de comique. Mais surtout cet imbroglio nous assure un ballet riche en revirements, en coups de théâtre, dont les vedettes changent. Faisant une comédie de mœurs qu'il élève au niveau de la comédie de caractères, Lesage a donc aussi pris plaisir à faire une comédie d'intrigue, pour obtenir, par les situations et les rencontres, des effets de farce. Nous voilà loin de la revue, des tranches de vie.

Caractères et atmosphère.

M. Turcaret supporte la comparaison avec les grands types classiques. Au physique comme au moral, il a quelque chose d'énorme, que l'on peut tirer, selon le choix des acteurs, vers les effets bouffons — ses scènes avec la Baronne — ou répugnants — avec M. Rafle. Jusque dans la bêtise, il ne manque pas de grandeur. Quand il est ému ou irrité, il n'achève pas ses phrases, se répète, étouffe; il n'a aucune éloquence, son langage est d'une merveilleuse pauvreté. Il donne les chiffres même des cadeaux qu'il offre à sa maîtresse; et son entretien avec Rafle le montre sûr de lui, organisé, efficace, dur. Personnage à la fois cohérent et haut en couleur.

La Baronne, elle, est insaisissable. Tout au long de notre lecture, nous serons amenés à nous demander si telle de ses réactions tient à son caractère inconsistant et inconstant, ou à un manque de vigueur de la part de l'auteur. Elle garde quelque chose de la veuve coquette du XVIIe siècle; elle sombre toutefois dans la vulgarité parce qu'il n'y a plus autour d'elle une véritable classe aristocratique. Sa jeunesse lui évite d'être franchement antipathique. Elle a des faiblesses qui feront d'elle un jouet entre les mains des valets, mais qui lui confèrent peut-être une certaine réalité humaine.

Le Marquis, dont nous avons évoqué l'utilité dramatique et comique, est nettement différent des marquis de Molière. C'est un roué amusant, sympathique même. Ses mœurs ne valent guère mieux que celles des autres, dont il se joue; il a de l'esprit, cependant, et une sorte de détachement grâce à quoi il met les rieurs de son côté; il paraît même aristocratique dans cet entourage vulgaire.

Son ami le Chevalier aurait dû, en d'autres temps, être un jeune premier dégourdi et écervelé, comme l'Horace de Molière (*l'Ecole des femmes*). Or il vit dans un autre monde! Et il a tôt opté pour le succès dans la facilité qu'il est incapable d'être amoureux, ou actif dans ses ambitions, et devient vite l'esclave de son valet. Futile jusque dans l'immoralité, il n'a pas su voir que Frontin ne l'encourageait à exploiter l'amour de la Baronne que dans son propre intérêt.

Le commis Rafle, l'usurier Furet, le valet Flamand sont des personnages de farce assez bien venus.

Marine, la première soubrette de la Baronne, a tenté de s'opposer à sa maîtresse, énonçant une morale cynique; cela aurait pu lui donner une personnalité, si elle ne disparaissait si tôt de la scène.

Son rôle est repris par Lisette. Molière n'avait présenté que deux suivantes qui portassent ce nom, et seule l'une d'elles, dans *l'Amour médecin*, use de stratagèmes au profit des amours de sa maîtresse. Les autres soubrettes de Molière font souvent de même, mais se caractérisent surtout par leur franc-parler. Dans *Monsieur de Pourceaugnac*, une femme d'intrigue, Nérine, collabore avec le valet Sbrigani pour favoriser le mariage d'Éraste, en jouant à Pourceaugnac des tours littéralement pendables. Notre Lisette est donc une nouveauté. Son arme est la séduction; elle flatte la Baronne, tourne autour de Turcaret avec impudeur. On sait que Frontin, qui a déjà commencé de l'éduquer, la destine à la vie peu recommandable des danseuses de l'Opéra.

A eux deux, ils forment un couple diabolique, mais Lisette n'est guère qu'une créature de Frontin, et celui-ci mérite plus d'attention. Chronologiquement situé entre Scapin et Figaro, il n'a que de lointaines ressemblances avec l'un et l'autre. Scapin travaille presque pour l'art, Frontin est guidé par une vaste cupidité. Comme Figaro, il est en guerre contre les gens en place, sans manifester de rancœur personnelle à leur égard. S'il n'a pas de passé autre que celui de valet, c'est un valet qui s'émancipera socialement, et ne se contentera pas de triompher par l'esprit comme Scapin. Il sait plaisanter, mais il est totalement froid et sec de cœur, et ce n'est pas lui qui a la charge d'animer la scène par sa légèreté bondissante ou son entrain. Impitoyable envers ceux qu'il gruge, il n'a ni l'excuse du désintéressement ni celle du charme. Plutôt une élégance froide et intelligente, grâce à laquelle il peut tout de même s'attirer la sympathie des spectateurs, ou du moins une certaine admiration.

Il ne faudrait pas non plus oublier deux comparses qui sont peut-être les plus hauts en couleur, personnages de farce, qui doivent moins que les autres à la tradition : Mme Jacob et Mme Turcaret. Leur vanité, leur impudeur à étaler leurs misères, leur rancœur sordide, leur dispute obscène viennent former un rabelaisien contrepoint à la froide et immorale fin de partie que mènent les protagonistes.

Les troupes qui, de nos jours, ont repris la pièce ont été guidées par cette constatation première : que, dans *Turcaret*, il n'y a pas de personnages sympathiques; ou plutôt qu'il y a une sorte de dénominateur commun entre les personnages, et qu'on peut définir de façon plus ou moins péjorative. « Insectes dorés », selon F. Mauriac, ou « coquins distingués », au dire de Jacques Fornier... Le rythme et la tonalité des scènes sont variés, certes, mais il est tentant et sans doute légitime de chercher une certaine unité dans l'atmosphère.

Jean Vilar, au T. N. P., fait « filer ce bal des voleurs avec verve et précision, dans une alacrité pleine de mouvement et de verdure heureuse », notait un journaliste; et un autre : « La mise en scène a la légèreté nécessaire, la terrible indifférence de la légèreté. Quelque chose d'élégant et de sournois : une sorte de mollesse menaçante où l'on sent du nerf et de la violence. Une dureté qui se masque, une pourriture qui se maquille », et la musique qu'il demanda à Duke Ellington contribue à donner cette impression de « décontraction paresseuse alliée à un caractère retors ».

Au Théâtre de Bourgogne, Jacques Fornier a volontiers insisté sur une certaine vulgarité, parfois évidente dans les dialogues. Un Turcaret gras, chauve, lippu, déjà atteint par l'âge, vicieux, à mi-chemin entre Tartuffe et un maquignon véreux, s'intègre dans un ensemble digne de lui. La Baronne vit en déshabillé dans un appartement luxueux, mais où l'on montre avec insistance un lit où l'on se vautre, et même un placard à balais et une carafe de vin rouge. Lisette contribue largement à faire régner une atmosphère douteuse, ajoutant par son comportement à l'égard de sa maîtresse à la forte promiscuité dont se teintent presque toutes les scènes.

C'est encore le metteur en scène qui peut orienter les regards vers la Baronne, que le texte seul, comme nous l'avons dit, présenterait comme assez inconsistante. Au T. N. P., on a choisi de la faire charmante, au point qu'on en oublie qu'elle puisse être dangereuse. A la Comédie de l'Ouest, on a souligné qu'elle était d'une noblesse authentique; même si le contexte économique et le nouveau style de vie l'ont fait déchoir, elle sait trouver, dans la grande scène qu'elle fait à son Turcaret, un persiflage hautain et une malignité cabotine de grande classe, que son comportement encore endormie au premier acte ne laissait pas présager. A la fin de la pièce, quand elle congédie le Chevalier, elle trouve un ton souverain et sort en beauté. La grande colère de Turcaret l'a amené à jeter en l'air un jeu de cartes avec lequel la Baronne faisait des réussites; il devra ensuite les ramasser à quatre pattes, et cela l'amènera aux pieds de sa maîtresse, qui lui pardonne. Tous ces jeux de scène n'ont pas pour seul but de nous immerger dans la réalité quotidienne, mais de mettre en valeur la présence de cette femme dans une pièce que l'on verrait trop facilement dominée par les hommes.

CONCLUSION

La lecture de *Turcaret* peut décevoir : les dialogues apparaissent plats parce que l'auteur n'y fait aucun « mot » original, et ne type pas vraiment les différents langages — si l'on excepte celui de Flamand. Les caractères ne se révèlent pas par des tirades qui méritent l'analyse. Tout le dialogue est saisi dans sa médiocrité quotidienne, chez des êtres dont la crapulerie ne semble pas offrir à l'auteur matière à une intéressante composition ou transposition artistique. Il semble même que ni l'époque ni ses goûts personnels n'offrent à l'écrivain ces locutions savoureuses, ces jurons, ces archaïsmes qui sont un des charmes de Molière.

Pourtant ce texte n'est pas nul. On ne dit que ce qui doit être dit pour faire avancer une intrigue, pour présenter les personnages à l'œuvre; langage « efficace », où l'auteur ne s'arrête jamais au plaisir de montrer son savoir-faire ou de faire rire par les mots indépendamment des situations et de l'action.

A y regarder de plus près, du reste, on y fait de l'esprit; mais c'est très justement celui que les personnages peuvent et doivent faire : le Marquis, par exemple, ne saurait persifler sans quelque insistance un monde où la bêtise la plus épaisse a droit d'entrée.

La pièce est bien bâtie, sans que Lesage ait prétendu à une totale originalité de construction. Le rire jaillit, le mouvement n'est pas endiablé — car il n'est pas pris non plus comme fin —, il ne se relâche cependant pas.

Les trois reprises que nous avons évoquées ont, certes, été provoquées par l'intérêt que l'on porte actuellement aux comédies de mœurs, surtout à celles qui attaquent l'argent, la noblesse. Les commentaires des metteurs en scène montrent qu'ils ont volontiers amplifié la portée révolutionnaire de *Turcaret*. Les résultats ont prouvé autre chose : que la pièce passe admirablement la rampe, qu'elle intéresse, qu'elle fait rire, qu'on y croit.

PERSONNAGES

M. TURCARET — traitant[1], amoureux de la Baronne.

Mme TURCARET — sa femme.

LE CHEVALIER
LE MARQUIS — petits-maîtres[2].

LA BARONNE — jeune veuve, coquette.

M. RAFLE — usurier.

M. FURET — fourbe.

Mme JACOB — revendeuse à la toilette[3], et sœur de M. Turcaret.

FRONTIN — valet du Chevalier.

FLAMAND — valet de Turcaret.

JASMIN — petit laquais de la Baronne.

MARINE
LISETTE — suivantes de la Baronne.

La scène est à Paris, chez la Baronne.

---

1. *Traitant :* voir Notice, page 16; 2. *Petits-maîtres.* C'étaient, sous la Fronde, le surnom des princes rebelles; par la suite, jeune homme raffiné et prétentieux. En 1734, Marivaux, dans *le Petit-Maître corrigé*, mettra en scène un jeune marquis donnant dans le « préjugé à la mode », qui consiste à ne pas vouloir paraître amoureux; 3. *Revendeuse :* colporteuse de vêtements et parures pour dames, neufs ou d'occasion. Voir IV, X.

TURCARET

1709

ACTE PREMIER

Scène première. — LA BARONNE, MARINE.

MARINE. — Encore hier deux cents pistoles[1]!

LA BARONNE. — Cesse de me reprocher...

MARINE. — Non, madame, je ne puis me taire; votre conduite est insupportable.

5   LA BARONNE. — Marine!...

MARINE. — Vous mettez ma patience à bout.

LA BARONNE. — Hé! comment veux-tu donc que je fasse? Suis-je femme à thésauriser?

MARINE. — Ce serait trop exiger de vous; et cependant je
10 vous vois dans la nécessité de le faire.

LA BARONNE. — Pourquoi?

MARINE. — Vous êtes veuve d'un colonel étranger qui a été tué en Flandre[2] l'année passée; vous aviez déjà mangé le petit douaire[3] qu'il vous avait laissé en partant, et il ne vous restait
15 plus que vos meubles, que vous auriez été obligée de vendre, si la fortune propice ne vous eût fait faire la conquête de M. Turcaret, le traitant[4]. Cela n'est-il pas vrai, madame?

LA BARONNE. — Je ne dis pas le contraire.

MARINE. — Or, ce M. Turcaret, qui n'est pas un homme fort
20 aimable, et qu'aussi vous n'aimez guère, quoique vous ayez dessein de l'épouser, comme il vous l'a promis, M. Turcaret, dis-je, ne se presse pas de vous tenir parole, et vous attendez patiemment qu'il accomplisse sa promesse, parce qu'il vous fait tous les jours quelque présent considérable : je n'ai rien

---

    1. *Pistole :* voir page 127. Se reporter à ce tableau pour toutes les monnaies évoquées dans la pièce; **2.** *Flandre :* détail historique (voir, p. 7, Ce qui se passait vers 1709); **3.** *Douaire :* héritage provenant du mari défunt; **4.** *Traitant :* voir Notice, page 16.

25 à dire à cela; mais ce que je ne puis souffrir, c'est que vous vous soyez coiffée[1] d'un petit chevalier joueur, qui va mettre à la réjouissance[2] les dépouilles du traitant. Hé! que prétendez-vous faire de ce chevalier?

LA BARONNE. — Le conserver pour ami. N'est-il pas permis 30 d'avoir des amis?

MARINE. — Sans doute, et de certains amis dont encore on peut faire son pis-aller. Celui-ci, par exemple, vous pourriez fort bien l'épouser, en cas que M. Turcaret vînt à vous manquer; car il n'est pas de ces chevaliers qui sont consacrés au 35 célibat et obligés de courir au secours de Malte : c'est un chevalier de Paris; il fait ses caravanes dans les lansquenets[3].

LA BARONNE. — Oh! je le crois un fort honnête homme.

MARINE. — J'en juge tout autrement. Avec ses airs passionnés, son ton radouci, sa face minaudière, je le crois un grand 40 comédien; et ce qui me confirme dans mon opinion, c'est que Frontin, son bon valet Frontin, ne m'en a pas dit le moindre mal.

LA BARONNE. — Le préjugé[4] est admirable! Et tu conclus de là?...

45 MARINE. — Que le maître et le valet sont deux fourbes qui s'entendent pour vous duper; et vous vous laissez surprendre à leurs artifices, quoiqu'il y ait déjà du temps que vous les connaissiez. Il est vrai que depuis votre veuvage il a été le premier à vous offrir brusquement sa foi[5]; et cette façon[6] de 50 sincérité l'a tellement établi[7] chez vous, qu'il dispose de votre bourse comme de la sienne.

---

1. *Coiffée* : entichée, amourachée. Comme *se toquer* et *avoir le béguin*, cette expression est probablement un transfert de *s'entêter*, pour désigner la rapidité avec laquelle un sentiment vous vient à la tête, et aussi son exclusivité; 2. *Réjouissance* : carte sur laquelle on peut mettre de l'argent pour faire échec au banquier (jeu du lansquenet); 3. *Malte, caravanes, lansquenets*. Les cadets de familles nobles entraient souvent, comme chevaliers voués au célibat, dans cet ordre religieux et militaire fondé pour défendre Malte contre les musulmans. *Faire ses caravanes* équivalait pour eux à « faire ses premières armes » en cherchant à enlever des caravanes turques. Marine joue ici sur les deux sens de *lansquenet* : 1º valet dans le jeu de cartes; 2º soldat d'infanterie mercenaire ou chevalier *(Landsknecht)*. Elle dirait à peu près aujourd'hui : « il a fait le baroud au casino »; ou « c'est un valet qui a de l'atout... »; 4. *Préjugé* : présomption, ensemble de faits autorisant un jugement rapide; 5. *Foi* (ici, au sens amoureux) : fidélité; 6. *Façon* : ce genre de sincérité; 7. *Établi* (terme galant) : installé dans votre cœur. Mais la fin de la phrase indique bien où s'installe, en fait, le soupirant.

Phot. Bernand.

Jean Davy (TURCARET) et Nicole Maurey (LA BARONNE)
au théâtre du Vieux-Colombier en 1967.

LA BARONNE. — Il est vrai que j'ai été sensible aux premiers soins[1] du chevalier. J'aurais dû, je l'avoue, l'éprouver[2] avant que de lui découvrir mes sentiments; et je conviendrai de 55 bonne foi que tu as peut-être raison de me reprocher tout ce que j'ai fait pour lui.

MARINE. — Assurément; et je ne cesserai point de vous tourmenter, que vous ne l'ayez chassé de chez vous; car enfin, si cela continue, savez-vous ce qui en arrivera?

60 LA BARONNE. — Hé! quoi?

MARINE. — Que M. Turcaret saura que vous voulez conserver le chevalier pour ami; et il ne croit pas, lui, qu'il soit permis d'avoir des amis. Il cessera de vous faire des présents, il ne vous épousera point; et si vous êtes réduite à épouser le che- 65 valier, ce sera un fort mauvais mariage pour l'un et pour l'autre.

LA BARONNE. — Tes réflexions sont judicieuses, Marine; je veux songer à en profiter.

MARINE. — Vous ferez bien; il faut prévoir l'avenir. Envisagez 70 dès à présent un établissement[3] solide; profitez des prodigalités de M. Turcaret, en attendant qu'il vous épouse. S'il y[4] manque, à la vérité on en parlera un peu dans le monde; mais vous aurez, pour vous en dédommager, de bons effets[5], de l'argent comptant, des bijoux, de bons billets au porteur[6], des contrats 75 de rente[7] : et vous trouverez alors quelque gentilhomme capricieux ou malaisé[8] qui réhabilitera votre réputation par un bon mariage.

LA BARONNE. — Je cède à tes raisons, Marine; je veux me détacher du chevalier, avec qui je sens bien que je me ruinerais 80 à la fin.

---

1. *Soins :* hommages, au niveau de l'« amitié » (langue galante classique); 2. *Eprouver.* Il s'agit de l'épreuve amoureuse, de la mise à l'épreuve d'un sentiment dont on a mille raisons de se méfier. Traditionnel depuis les Précieuses, ce verbe a tenu un grand rôle chez Marivaux; 3. *Etablissement.* Au sens double du mot à l'époque, tel qu'il est indiqué par la suite de la phrase (rapprochez de Marivaux, *le Jeu de l'amour et du hasard*, II, III : « Votre premier coup d'œil a fait naître mon amour, le second lui a donné des forces et le troisième l'a rendu grand garçon; tâchons de l'établir au plus vite. »); 4. *S'il y manque.* Y renvoie seulement au deuxième terme *qu'il vous épouse ;* 5. *Effet* désignait toutes sortes de billets représentant de l'argent dû par quelqu'un; 6. *Billets au porteur :* ancêtres de nos chèques au porteur et de nos billets de banque; 7. Les contrats de rente assurent des prestations à temps ou à perpétuité à quelqu'un qui a transmis à autrui un capital ou un immeuble; 8. *Malaisé :* mal à son aise financièrement (nous n'avons gardé dans cet emploi que le contraire : « des gens aisés »).

MARINE. — Vous commencez à entendre raison. C'est là le bon parti[1]. Il faut s'attacher à M. Turcaret, pour l'épouser ou pour le ruiner. Vous tirerez du moins des débris de sa fortune de quoi vous mettre en équipage[2], de quoi soutenir dans le monde une figure brillante; et, quoi que l'on puisse dire, vous lasserez les caquets, vous fatiguerez la médisance, et l'on s'accoutumera insensiblement à vous confondre avec les femmes de qualité.

LA BARONNE. — Ma résolution est prise; je veux bannir de mon cœur le chevalier : c'en est fait, je ne prends plus de part à sa fortune[3], je ne réparerai plus ses pertes; il ne recevra plus rien de moi.

MARINE. — Son valet vient; faites-lui un accueil glacé : commencez par là le grand ouvrage que vous méditez.

LA BARONNE. — Laisse-moi faire. (1)

---

1. *Parti* (double sens) : la bonne décision et, éventuellement, le bon mariage;
2. *Vous mettre en équipage* : vous fournir de quoi vous assurer un bon train de vie;
3. *Fortune* : sort; mais aussi, éventuellement, état financier.

─── ■ QUESTIONS ───

1. SUR LA SCÈNE PREMIÈRE. — Étudiez l'exposition au triple point de vue de l'intrigue, du milieu et des caractères. Comment Lesage concilie-t-il cette nécessité avec la vie du dialogue? La suite des événements apparaît-elle?

— Montrez que Marine est très raisonneuse. L'est-elle par immoralité systématique, par souci du bien de sa maîtresse? Analysez son cynisme et celui de sa maîtresse. Comment expliquez-vous que la Baronne soit si influençable? Croyez-vous qu'elle tiendra sa décision finale?

— Le dialogue de Marine et de la Baronne : la soubrette, dès la première réplique, parle d'argent, la Baronne parle sentiments. Voyez comment Marine lui relance à la figure ses mots essentiels : *ami*, *honnête*. Étudiez les relations maîtresse-suivante.

— Pour vous faire une meilleure idée de cette Baronne et de ses problèmes, étudiez son langage : sa préciosité conventionnelle, sa passivité devant Marine.

— Relevez dans les répliques de Marine les indications concernant le niveau social de sa maîtresse, la composition de son entourage, la morale de son milieu. — Ses sentiments pour le Chevalier et pour Turcaret. Sont-ils bien définis?

— Voyez, en somme, si cette scène d'exposition n'est pas d'abord destinée à créer l'ambiance, en insistant d'entrée sur les « mœurs » plus que sur les caractères. Vous étudierez par la suite si les caractères se précisent et dans quelle mesure c'est le « milieu » qu'a voulu peindre Lesage.

— Le comique dans cette scène.

Scène II. — LA BARONNE, MARINE, FRONTIN.

FRONTIN, *à la baronne*. — Je viens de la part de mon maître, et de la mienne, madame vous donner le bonjour.

LA BARONNE, *d'un air froid*. — Je vous en suis obligée, Frontin.

FRONTIN. — Et mademoiselle Marine veut bien aussi qu'on
100 prenne la liberté de la saluer?

MARINE, *d'un air brusque*. — Bon jour et bon an.

FRONTIN, *présentant un billet à la baronne*. — Ce billet, que M. le chevalier vous écrit, vous instruira, madame, de certaine aventure...

105 MARINE, *bas, à la baronne*. — Ne le recevez pas.

LA BARONNE, *prenant le billet*. — Cela n'engage à rien, Marine. Voyons, voyons ce qu'il me demande.

MARINE, *bas, à la baronne*. — Sotte curiosité!

LA BARONNE, *lit*. — « Je viens de recevoir le portrait d'une
110 « comtesse : je vous l'envoie et vous le sacrifie; mais vous ne « devez point me tenir compte de ce sacrifice, ma chère baronne : « je suis si occupé, si possédé de vos charmes, que je n'ai pas « la liberté de vous être infidèle. Pardonnez, mon adorable, « si je ne vous en dis pas davantage; j'ai l'esprit dans un
115 « accablement mortel. J'ai perdu cette nuit tout mon argent, « et Frontin vous dira le reste. »

« LE CHEVALIER. »

MARINE. — Puisqu'il a perdu tout son argent, je ne vois pas qu'il y ait du reste à cela.

FRONTIN. — Pardonnez-moi. Outre les deux cents pistoles
120 que madame eut la bonté de lui prêter hier, et le peu d'argent qu'il avait d'ailleurs, il a encore perdu mille écus sur sa parole : voilà le reste. Oh diable! il n'y a pas un mot inutile dans les billets de mon maître.

LA BARONNE, *à Frontin*. — Où est le portrait?

125 FRONTIN, *donnant le portrait à la baronne*. — Le voici.

LA BARONNE. — Il ne m'a point parlé de cette comtesse-là, Frontin!

FRONTIN. — C'est une conquête, madame, que nous avons faite sans y penser. Nous rencontrâmes l'autre jour cette
130 comtesse dans un lansquenet[1]!

MARINE. — Une comtesse de lansquenet.

FRONTIN. — Elle agaça[2] mon maître : il répondit, pour rire, à ses minauderies. Elle, qui aime le sérieux, a pris la chose fort sérieusement; elle nous a, ce matin, envoyé son portrait;
135 nous ne savons pas seulement son nom.

MARINE. — Je vais parier que cette comtesse-là est quelque dame normande[3]. Toute sa famille bourgeoise se cotise pour lui faire tenir à Paris une petite pension, que les caprices du jeu augmentent ou diminuent.

140 FRONTIN, *à Marine.* — C'est ce que nous ignorons.

MARINE. — Oh que non! vous ne l'ignorez pas. Peste! vous n'êtes pas gens à faire sottement des sacrifices! Vous en connaissez bien le prix. (2)

FRONTIN, *à la baronne.* — Savez-vous bien, madame, que cette
145 dernière nuit a pensé[4] être une nuit éternelle pour M. le chevalier? En arrivant au logis, il se jette dans un fauteuil; il commence par se rappeler les plus malheureux coups du jeu, assaisonnant ses réflexions d'épithètes et d'apostrophes énergiques.

150 LA BARONNE, *regardant le portrait.* — Tu as vu cette comtesse, Frontin; n'est-elle pas plus belle que son portrait?

FRONTIN. — Non, madame, ce n'est pas, comme vous voyez, une beauté régulière; mais elle est assez piquante[5], ma foi, elle est assez piquante. Or, je voulus d'abord représenter

---

1. *Lansquenet :* (ici) maison de jeu; 2. *Agacer :* provoquer (au point de vue amoureux); 3. *Dame normande. Dame* indique une noblesse réelle ou prétendue. La Normandie fait partie de ces provinces où l'on usurpe volontiers un titre nobiliaire, surtout lorsqu'on doit aller dans la capitale; 4. *A pensé :* a failli; 5. *Piquante.* Dans l'esthétique féminine de l'époque classique, la beauté piquante s'oppose à la beauté régulière; aujourd'hui, « avoir du charme ».

--- **QUESTIONS** ---

2. Le comique de mots. Étudiez les traits d'esprit de Frontin, ses mots à double sens. Marine, qui a fait aussi quelques « traits » à la première scène, s'en donne ici à cœur joie. Pourquoi? — Si vous ajoutez les pastiches de Molière et de Racine, la reprise fréquente des jeux de mots sur *lansquenet*... que pensez-vous de l'humour de Lesage?

155 à mon maître que tous ses jugements étaient des paroles per-
dues; mais, considérant que cela soulage un joueur désespéré,
je le laissai s'égayer[1] dans ses apostrophes.

LA BARONNE, *regardant toujours le portrait*. — Quel âge
a-t-elle, Frontin?

160 FRONTIN. — C'est ce que je ne sais pas trop bien; car elle
a le teint si beau, que je pourrais m'y tromper d'une vingtaine
d'années.

MARINE. — C'est-à-dire qu'elle a pour le moins cinquante ans.

FRONTIN. — Je le croirais bien, car elle en paraît trente.
165 Mon maître, donc, après avoir réfléchi, s'abandonne à la rage;
il demande ses pistolets.

LA BARONNE. — Ses pistolets, Marine! ses pistolets!

MARINE. — Il ne se tuera point, madame, il ne se tuera point.

FRONTIN. — Je les lui refuse; aussitôt il tire brusquement
170 son épée.

LA BARONNE. — Ah! il s'est blessé, Marine, assurément.

MARINE. — Hé! non, non; Frontin l'en aura empêché.

FRONTIN. — Oui; je me jette sur lui à corps perdu : « Monsieur
le chevalier, lui dis-je, qu'allez-vous faire? Vous passez les
175 bornes de la douleur du lansquenet. Si votre malheur vous fait
haïr le jour, conservez-vous du moins, vivez pour votre aimable
baronne; elle vous a jusqu'ici tiré généreusement de tous vos
embarras; et soyez sûr (ai-je ajouté, seulement pour calmer
sa fureur) qu'elle ne vous laissera point dans celui-ci.

180 MARINE, *bas*. — L'entend-il[2], le maraud! (3)

FRONTIN. — « Il ne s'agit que de mille écus, une fois[3]; M. Turcaret a bon dos; il portera bien encore cette charge-là. »

LA BARONNE. — Eh bien, Frontin?

_____

1. *S'égayer :* se répandre. (Confondu par les classiques avec le mot dialectal
s'égailler, se disperser, se répandre); 2. *L'entend-il :* comme il s'y entend (à nous
faire de beaux discours); 3. *Une fois :* une fois en passant...

——— **QUESTIONS** ———————————————

3. Montrez que la Baronne prend tout au sérieux pendant que Frontin
la noie sous son boniment, que Marine orchestre de ses réflexions ironiques. Quel effet produit le futur *Il ne se tuera point* (ligne 168)?

FRONTIN. — Eh bien, madame, à ces mots (admirez le pouvoir de l'espérance), il s'est laissé désarmer comme un enfant; il s'est couché et s'est endormi.

MARINE. — Le pauvre chevalier!

FRONTIN. — Mais ce matin, à son réveil, il a senti renaître ses chagrins; le portrait de la comtesse ne les a point dissipés. Il m'a fait partir sur-le-champ pour venir ici, et il attend mon retour pour disposer de son sort. Que lui dirai-je, madame?

LA BARONNE. — Tu lui diras, Frontin, qu'il peut toujours faire fonds[1] sur moi, et que, n'étant point en argent comptant... *(Elle veut tirer son diamant.)*

MARINE, *la retenant.* — Hé! madame, y songez-vous?

LA BARONNE, *remettant son diamant.* — Tu lui diras que je suis touchée de son malheur.

MARINE, *à Frontin.* — Et que je suis, de mon côté, très fâchée de son infortune.

FRONTIN. — Ah! qu'il sera fâché, lui!... *(Bas, à part.)* Maugrebleu[2] de la soubrette[3]!

LA BARONNE. — Dis-lui, Frontin, que je suis sensible à ses peines.

MARINE. — Que je sens vivement son affliction, Frontin.

FRONTIN. — C'en est donc fait, madame; vous ne verrez plus M. le chevalier. La honte de ne pouvoir payer ses dettes[4] va l'écarter de vous pour jamais; car rien n'est plus sensible pour un enfant de famille. Nous allons tout à l'heure prendre la poste[5].

---

1. *Faire fond sur* : s'appuyer sur, pouvoir compter sur quelqu'un ou quelque chose. Mélangé ici avec *fonds* (capital) : « un fonds de commerce »; « c'est le fonds qui manque le moins ». Les deux mots eurent d'ailleurs la même origine latine; 2. *Maugrebleu* : juron atténué. C'est la faute au mauvais gré (à la mauvaise volonté) de Dieu : mal gré Dieu. Ici, valeur analogue à « peste soit de la soubrette! »; 3. *Soubrette* semble avoir ici encore son sens primitif, car le mot n'a que cinquante ans. Il indique d'abord une certaine tournure d'esprit : « qui fait la difficile »; très vite, le mot s'appliqua à ce caractère si vif, à cette intelligence ambitieuse, à cette prétention qu'ont les servantes de comédie de ne pas en rester aux distinctions de rang social. Marivaux (le *Jeu de l'amour et du hasard*, I, VII) en fait l'équivalent de *suivante*, *domestique*; 4. *Dettes*. Un enfant de famille (riche ou noble) n'avait pas de honte à faire attendre à ses créanciers la venue d'un héritage; mais les dettes du jeu devaient être réglées en vingt-quatre heures; 5. *Poste* : ici, voiture publique. Primitivement : endroit où se trouvaient les chevaux de renfort ou de relais; puis : organisation de transports publics pour les gens et les marchandises (exemples : voiture de poste, chaise de poste...).

210   LA BARONNE. — Prendre la poste, Marine!

  MARINE, *à la baronne*. — Ils n'ont pas de quoi la payer.

  FRONTIN. — Adieu, madame.

  LA BARONNE, *tirant son diamant*. — Attends, Frontin.

  MARINE, *à Frontin*. — Non, non; va-t'en vite lui faire réponse.

215   LA BARONNE, *à Marine*. — Oh! je ne puis me résoudre à l'abandonner. *(Donnant son diamant à Frontin.)* Tiens, voilà un diamant de cinq cents pistoles que M. Turcaret m'a donné; va le mettre en gage, et tire ton maître de l'affreuse situation où il se trouve.

220   FRONTIN. — Je vais le rappeler à la vie. Je lui rendrai compte, Marine, de l'excès[1] de ton affliction. *(Il sort.)*

  MARINE. — Ah! que vous êtes tous deux bien ensemble, messieurs les fripons! **(4)**

Scène III. — LA BARONNE, MARINE.

  LA BARONNE. — Tu vas te déchaîner contre moi, Marine,
225 t'emporter...

  MARINE. — Non, madame, je ne m'en donnerai pas la peine, je vous assure. Eh! que m'importe, après tout, que votre bien s'en aille comme il vient? Ce sont vos affaires, madame, ce sont vos affaires.

230   LA BARONNE. — Hélas! je suis plus à plaindre qu'à blâmer : ce que tu me vois faire n'est point l'effet d'une volonté libre;

---

1. *Excès*. Un de ces termes outrés qu'aimaient les Précieux : l'immensité.

        — QUESTIONS —

  4. SUR L'ENSEMBLE DE LA SCÈNE II. — Indiquez le mouvement dramatique de cette scène : le point de vue de chaque personnage et le développement de la scène pour chacun.

  — Frontin : son « entrée » est retentissante. Notez comment il prend possession des affaires de la Baronne. (A comparer avec l'attitude de Marine envers sa maîtresse.) Dans quelle mesure annonce-t-il Figaro? Comparez au Scapin de Molière. — Comment Frontin atténue-t-il, pour le spectateur, ce que son cynisme aurait d'antipathique? — Frontin et Marine.

  — La Baronne : étudiez les étapes de sa faiblesse et de sa défaite.

  — Les éléments comiques dans cette scène. Sont-ils homogènes?

  — Contraste de contenu, de rythme, d'atmosphère, avec la scène précédente.

je suis entraînée par un penchant si tendre, que je ne ⌐
résister.

MARINE. — Un penchant tendre! Ces faiblesses vous
235 conviennent-elles? Hé, fi! vous aimez comme une vieille bourgeoise.

LA BARONNE. — Que tu es injuste, Marine! Puis-je ne pas
savoir gré au chevalier du sacrifice qu'il me fait?

MARINE. — Le plaisant sacrifice! Que vous êtes facile à trom-
240 per! Mort de ma vie! C'est quelque vieux portrait de famille;
que sait-on? De sa grand-mère peut-être.

LA BARONNE, *regardant le portrait.* — Non; j'ai quelque idée[1]
de ce visage-là, et une idée récente.

MARINE, *prenant le portrait.* — Attendez... Ah! justement,
245 c'est ce colosse de provinciale que nous vîmes au bal il y a
trois jours, qui se fit tant prier pour ôter son masque, et que
personne ne connut[2] quand elle fut démasquée.

LA BARONNE. — Tu as raison, Marine; cette comtesse-là n'est
pas mal faite.

250 MARINE, *rendant le portrait à la baronne.* — A peu près
comme M. Turcaret. Mais si la comtesse était femme d'affaires[3],
on ne vous la sacrifierait pas, sur ma parole.

LA BARONNE. — Tais-toi, Marine; j'aperçois le laquais de
M. Turcaret.

255 MARINE, *bas, à la baronne.* — Oh! pour celui-ci, passe; il ne
nous apporte que de bonnes nouvelles. Il tient quelque chose;
c'est sans doute un nouveau présent que son maître vous
fait. (5)

---

1. *Idée :* image; souvenir visuel plus ou moins vague (sens grec); 2. *Connaître :*
reconnaître; 3. Femme gérant ou maniant une fortune.

──────── QUESTIONS ────────

5. SUR LA SCÈNE III. — Marine doit reprendre en main sa Baronne.
Comment s'y prend-elle? — La rapidité de ses répliques : quels sentiments traduit-elle, quelle efficacité contient-elle? — Plusieurs détails sur
le « portrait » sont destinés à préparer l'acte V; lesquels?

— Analysez les sentiments de la Baronne sur la Comtesse : ses questions successives dans la scène précédente trouvent-elles ici une justification? Comment expliquez-vous sa réflexion finale : *cette comtesse-là
n'est pas mal faite* (lignes 248-249)?

Scène IV. — les mêmes. FLAMAND *entrant
et présentant un petit coffret à la baronne.*

M. Turcaret, madame, vous prie d'agréer ce petit présent.
260 Serviteur, Marine.

MARINE. — Tu sois[1] le bienvenu, Flamand! J'aime mieux te
voir que ce vilain[2] Frontin.

LA BARONNE, *montrant le coffre à Marine.* — Considère,
Marine, admire le travail de ce petit coffre : as-tu rien vu de
265 plus délicat?

MARINE. — Ouvrez, ouvrez, je réserve mon admiration pour
le dedans; le cœur me dit que nous en serons plus charmées
que du dehors.

LA BARONNE *l'ouvre.* — Que vois-je! Un billet au porteur[3]!
270 L'affaire est sérieuse.

MARINE. — De combien, madame?

LA BARONNE. — De dix mille écus.

MARINE, *bas.* — Bon! voilà la faute du diamant réparée.

LA BARONNE. — Je vois un autre billet.

275 MARINE. — Encore au porteur?

LA BARONNE. — Non; ce sont des vers que M. Turcaret
m'adresse.

MARINE. — Des vers de M. Turcaret!

LA BARONNE, *lisant.* — « A Philis[4]... Quatrain... » Je suis la
280 Philis, et il me prie en vers de recevoir son billet en prose.

MARINE. — Je suis fort curieuse d'entendre des vers d'un
auteur qui envoie de si bonne prose.

LA BARONNE. — Les voici; écoute. *(Elle lit.)*

285
Recevez ce billet, charmante Philis,
Et soyez assurée que mon âme
Conservera toujours une éternelle flamme,
Comme il certain que trois et trois font six.

---

1. *Tu sois :* archaïsme de bon ton à l'époque. C'est un subjonctif de souhait,
comme dans « ainsi soit-il! », ou « peste soit... »; 2. *Vilain* est déjà adjectif, avec le
sens moderne de « méchant », « louche »; 3. Voir note 6, page 28; 4. *Philis :* pseu-
donyme très fréquemment donné par les poètes précieux à la dame de leur cœur.
(Rapprochez du sonnet d'Oronte, dans *le Misanthrope.*) Dans la poésie amoureuse
grecque, bergères ou nymphes avaient souvent des noms en -*is*, comme Amaryllis.
La véritable orthographe est *Phyllis*, qui veut dire « Fleur ».

MARINE. — Que cela est finement pensé!

LA BARONNE. — Et noblement exprimé! Les auteurs se
290 peignent dans leurs ouvrages. Allez porter ce coffre dans mon
cabinet[1], Marine. *(Marine sort.)*

Il faut que je te donne quelque chose, à toi, Flamand. Je
veux que tu boives à ma santé.

FLAMAND. — Je n'y manquerai pas, madame, et du bon encore.

295 LA BARONNE. — Je t'y convie.

FLAMAND. — Quand j'étais chez ce conseiller[2] que j'ai servi
ci-devant[3], je m'accommodais de tout; mais depuis que je
suis chez M. Turcaret, je suis devenu délicat, oui.

LA BARONNE. — Rien n'est tel que la maison d'un homme
300 d'affaires pour perfectionner le goût. *(Marine revient.)*

FLAMAND, *apercevant M. Turcaret.* — Le voici, madame, le
voici. *(Il sort.)* **(6)**

Scène V. — LA BARONNE, M. TURCARET, MARINE.

LA BARONNE. — Je suis ravie de vous voir, monsieur Turcaret, pour vous faire des compliments sur les vers que vous
305 m'avez envoyés.

M. TURCARET, *riant.* — Ho, ho!

---

1. *Cabinet :* secrétaire. Rapprochez du célèbre « il est bon à mettre au cabinet »,
que Lesage copie évidemment (*le Misanthrope*, vers 376); 2. *Conseiller :* du parlement; 3. *Ci-devant :* précédemment.

■■■■ QUESTIONS ■■■■

6. SUR LA SCÈNE IV. — Le cadeau du financier : caractérisez-en les
deux éléments. Comment chacun d'eux est-il reçu? Expliquez les commentaires de Marine et de la Baronne sur le quatrain de Turcaret; leur
comique; leur vérité. D'où vient le ridicule de cette poésie? Sa valeur de
reflet de l'auteur.

— Le personnage de Flamand : traits essentiels de sa psychologie.
Conformité entre le valet et son maître.

— Avant l'entrée en scène de Turcaret, revoyez, dans les quatre premières scènes, les éléments successifs de son portrait et la manière dont
chaque personnage le considère et le traite.

— Tentez aussi de faire le bilan sur le caractère de la Baronne.

— Le « langage » des personnages : est-il conforme au caractère et au
rang de chacun? est-il bien « enregistré », pris sur le vif? caricaturé?
faible? imprégné du langage propre à l'auteur?

LA BARONNE. — Savez-vous bien qu'ils sont du dernier galant[1]! Jamais les Voiture ni les Pavillon[2] n'en ont fait de pareils.

310 M. TURCARET. — Vous plaisantez apparemment?

LA BARONNE. — Point du tout.

M. TURCARET. — Sérieusement, madame, les trouvez-vous bien tournés?

LA BARONNE. — Le plus spirituellement du monde.

315 M. TURCARET. — Ce sont pourtant les premiers vers que j'aie faits de ma vie[3].

LA BARONNE. — On ne le dirait pas.

M. TURCARET. — Je n'ai pas voulu emprunter le secours de quelque auteur, comme cela se pratique.

320 LA BARONNE. — On le voit bien : les auteurs de profession ne pensent et ne s'expriment pas ainsi; on ne saurait les soupçonner de les[4] avoir faits.

M. TURCARET. — J'ai voulu voir, par curiosité, si je serais capable d'en composer, et l'amour m'a ouvert l'esprit.

325 LA BARONNE. — Vous êtes capable de tout, monsieur, et il n'y a rien d'impossible pour vous.

MARINE. — Votre prose, monsieur, mérite aussi des compliments : elle vaut bien votre poésie au moins[5].

M. TURCARET. — Il est vrai que ma prose a son mérite; elle 330 est signée et approuvée par quatre fermiers généraux[6].

MARINE, *à M. Turcaret.* — Cette approbation vaut mieux que celle de l'Académie.

LA BARONNE. — Pour moi, je n'approuve point votre prose, monsieur; et il me prend envie de vous quereller.

335 M. TURCARET. — D'où vient?

---

1. *Du dernier galant :* de la plus grande galanterie. Encore une locution précieuse. De même *ravie*, qui a ou veut avoir son sens fort; 2. *Voiture* était toujours considéré comme le modèle des écrivains dans les « petits genres » en vogue dans les salons précieux. *Etienne Pavillon* (1632-1705) : beaucoup de ses pièces de vers commencent à circuler à l'époque de *Turcaret ;* 3. Rapprochez du *Bourgeois gentilhomme,* II, IV : « Belle marquise... »; « Cependant je n'ai point étudié, et j'ai fait cela de premier coup »; et surtout des *Précieuses,* IX : « Les gens de qualité savent tout sans avoir rien appris »; 4. Ce *les* renvoie à *les vers que vous m'avez envoyés,* lignes 304-305; 5. *Au moins.* Nous retrouverons souvent cette expression; elle est à la mode, et le sera encore plus chez Marivaux. Elle signifie : « en tout cas », « à coup sûr »; 6. Voir Notice, page 16.

LA BARONNE. — Avez-vous perdu la raison, de m'envoyer un billet au porteur? Vous faites tous les jours quelque folie comme cela.

M. TURCARET. — Vous vous moquez.

LA BARONNE. — De combien est-il ce billet? Je n'ai pas pris garde à la somme, tant j'étais en colère contre vous.

M. TURCARET. — Bon! il n'est que de dix mille écus.

LA BARONNE. — Comment, dix mille écus! Ah! si j'avais su cela, je vous l'aurais renvoyé sur-le-champ.

M. TURCARET. — Fi donc!

LA BARONNE. — Mais je vous le renverrai.

M. TURCARET. — Oh! vous l'avez reçu, vous ne le rendrez point.

MARINE, *bas, à part.* — Oh! pour cela, non.

LA BARONNE. — Je suis plus offensée du motif que de la chose même.

M. TURCARET. — Hé! pourquoi?

LA BARONNE. — En m'accablant tous les jours de présents, il semble que vous vous imaginiez avoir besoin de ces liens-là pour m'attacher à vous.

M. TURCARET. — Quelle pensée! Non, madame, ce n'est point dans cette vue que...

LA BARONNE. — Mais vous vous trompez, monsieur; je ne vous aime pas davantage pour cela.

M. TURCARET. — Qu'elle est franche! qu'elle est sincère!

LA BARONNE. — Je ne suis sensible qu'à vos empressements, qu'à vos soins[1].

M. TURCARET. — Quel bon cœur!

LA BARONNE. — Qu'au seul plaisir de vous voir.

M. TURCARET. — Elle me charme... Adieu, charmante Philis.

LA BARONNE. — Quoi! vous sortez si tôt?

M. TURCARET. — Oui, ma reine; je ne viens ici que pour vous saluer en passant. Je vais à une de nos assemblées[2], pour

---

1. *Soins :* voir, page 28, ligne 53 et la note; 2. *Assemblée :* sorte de conseil d'administration. — La *compagnie* (ligne 370) est celle des fermiers généraux.

m'opposer à la réception d'un pied-plat[1], d'un homme de rien,
370 qu'on veut faire entrer dans notre compagnie. Je reviendrai
dès que je pourrai m'échapper. *(Il lui baise la main.)*

LA BARONNE. — Fussiez-vous déjà de retour[2]!

MARINE, *faisant la révérence à M. Turcaret.* — Adieu, monsieur; je suis votre très humble servante.

375 M. TURCARET. — A propos, Marine, il me semble qu'il y a
longtemps que je ne t'ai rien donné. *(Il lui donne une poignée
d'argent.)* Tiens, je donne sans compter, moi.

MARINE. — Et moi, je reçois de même, monsieur. Oh! nous
sommes tous deux des gens de bonne foi[3]! *(M. Turcaret sort.)* **(7)**

SCÈNE VI. — LA BARONNE, MARINE.

380 LA BARONNE. — Il s'en va fort satisfait de nous, Marine.

MARINE. — Et nous demeurons fort contentes de lui, madame.
L'excellent sujet! Il a de l'argent, il est prodigue et crédule;
c'est un homme fait pour les coquettes.

---

1. *Pied-plat* : roturier (qui ne porte pas de hauts talons comme les nobles); ici,
c'est un terme de mépris à sens vague. Il n'est pas impossible que Turcaret, homme
« arrivé », ait déjà contracté du mépris à l'égard des gens dont il faisait partie hier
encore; 2. Sur ce subjonctif, voir, page 36, ligne 261 et la note; 3. *Bonne foi* (double
sens, encore une fois) : sincères dans leurs paroles; gens de parole, tenant leurs
promesses, personnes de confiance en affaires.

━━━━━ QUESTIONS ━━━━━

7. SUR LA SCÈNE V. — Les compliments de la Baronne : d'après ce
que vous savez d'elle, sont-ils sincères ou ironiques? La comparaison
avec Molière s'impose (*les Précieuses ridicules*, IX; *le Misanthrope*, I, II;
les Femmes savantes, III, II). Quel parti en a tiré Lesage?
— Les répliques de la Baronne : *Il me prend envie de vous quereller;
Je n'ai pas pris garde à la somme* [...], etc. Sur quel ton? Quels traits
de caractère révèlent-elles? De quoi arrive-t-elle à persuader Turcaret?
Comparez avec Marine sur ce point : différence de point de vue? de
technique? de niveau social?
— Voyez avec précision comment tout le comique de la scène tourne
autour des idées d'authenticité, de sincérité, de bonne foi... Quel effet
Lesage compte-t-il ainsi produire?
— L'« entrée » de Turcaret. Montrez que sa première réplique en dit
long sur ses capacités verbales. Étudiez son langage : exclamations,
pauvreté de l'expression, usage spontané de termes financiers. En tenant
compte, en outre, de la scène III (lignes 255-258) essayez d'imaginer
le personnage. Analysez ce qui trahit son contentement de lui-même.
Qui est au centre de tous ses propos?

LA BARONNE. — J'en fais assez ce que je veux, comme tu vois.

385   MARINE. — Oui; mais, par malheur, je vois arriver ici des gens qui vengent bien M. Turcaret.

SCÈNE VII. — LE CHEVALIER, LA BARONNE, FRONTIN, MARINE.

LE CHEVALIER, *à la baronne.* — Je viens, madame, vous témoigner ma reconnaissance; sans vous, j'aurais violé la foi[1] des joueurs : ma parole perdait tout son crédit, et je tombais
390 dans le mépris des honnêtes gens[2].

LA BARONNE. — Je suis bien aise, chevalier, de vous avoir fait ce plaisir.

LE CHEVALIER. — Ah! qu'il est doux de voir sauver son honneur par l'objet[3] même de son amour.

395   MARINE, *bas, à elle-même.* — Qu'il est tendre et passionné! Le moyen de lui refuser quelque chose!

LE CHEVALIER. — Bonjour, Marine. Madame, j'ai aussi quelques grâces à lui rendre; Frontin m'a dit qu'elle s'est intéressée à ma douleur.

400   MARINE, *au chevalier.* — Eh! oui, merci de ma vie! Je m'y suis intéressée : elle nous coûte assez pour cela.

LA BARONNE, *à Marine.* — Taisez-vous, Marine; vous avez des vivacités qui ne me plaisent pas.

LE CHEVALIER. — Eh! madame, laissez-la parler; j'aime les
405 gens francs et sincères.

MARINE. — Et moi je hais ceux qui ne le sont pas.

LE CHEVALIER. — Elle est toute spirituelle dans ses mauvaises humeurs; elle a des reparties brillantes qui m'enlèvent[4]. Marine, au moins, j'ai pour vous ce qui s'appelle une véritable amitié;
410 et je veux vous en donner des marques. *(Il fait semblant de fouiller dans ses poches.)* Frontin, la première fois que je gagnerai, faites-m'en ressouvenir.

---

1. *Foi.* Chez ces joueurs de profession, le seul code d'honneur était de payer ce qu'on avait perdu sur parole. Ici, sens de « parole donnée, promesse »; 2. *Honnêtes gens* se restreint ici au sens moderne : « gens honnêtes », puisque la morale de cette prétendue bonne société se réduit à respecter la règle du jeu énoncée ci-dessus; 3. *Objet :* personne aimée (terme bien connu de la langue galante); 4. *Enlever :* transporter d'enthousiasme.

FRONTIN, *à Marine*. — C'est[1] de l'argent comptant.

MARINE, *à Frontin*. — J'ai bien affaire de son argent! Eh!
415 qu'il ne vienne pas ici piller le nôtre.

LA BARONNE. — Prenez garde à ce que vous dites, Marine.

MARINE. — C'est voler au coin d'un bois.

LA BARONNE. — Vous perdez le respect.

LE CHEVALIER, *à la baronne*. — Ne prenez point la chose
420 sérieusement.

MARINE. — Je ne puis me contraindre, madame; je ne puis
voir tranquillement que vous soyez la dupe de monsieur, et
que M. Turcaret soit la vôtre.

LA BARONNE. — Marine!...

425 MARINE. — Eh! fi, fi! madame, c'est se moquer de recevoir
d'une main pour dissiper de l'autre. La belle conduite! Nous
en aurons toute la honte, et M. le chevalier tout le profit.

LA BARONNE. — Oh! pour cela, vous êtes trop insolente;
je n'y puis plus tenir.

430 MARINE. — Ni moi non plus.

LA BARONNE. — Je vous chasserai.

MARINE. — Vous n'aurez pas cette peine-là, madame; je me
donne mon congé moi-même : je ne veux pas qu'on dise dans
le monde que je suis infructueusement complice de la ruine
435 d'un financier.

LA BARONNE. — Retirez-vous, impudente[2]! et ne paraissez
jamais devant moi que pour me rendre vos comptes[3].

MARINE. — Je les rendrai à M. Turcaret, madame; et s'il
est assez sage pour m'en croire, vous compterez aussi tous deux
440 ensemble. *(Elle sort.)* (8)

---

1. *C'est* : cela vaut autant que; 2. *Impudente* : qui ne sait pas se tenir à sa place,
qui manque de mesure (même racine que *pudeur*); 3. Avant de quitter le service,
la servante doit rendre des comptes de l'argent qu'on lui a confié au début de la
semaine pour le ménage. Mais Marine prend l'expression dans un sens plus large :
« aller tout raconter à Turcaret ». C'est la Baronne qui devra alors rendre compte
à celui-ci de l'usage qu'elle a fait de ses cadeaux.

QUESTIONS

8. SUR LES SCÈNES VI ET VII. — Analysez comment l'évolution des
relations entre Marine et sa maîtresse, celle du langage de la soubrette
rendaient inévitables cet état et ses conséquences. (Suite, p. 43.)

Scène VIII. — LE CHEVALIER, LA BARONNE, FRONTIN.

LE CHEVALIER, *à la baronne*. — Voilà, je l'avoue, une créature impertinente : vous avez eu raison de la chasser.

FRONTIN. — Oui, madame, vous avez eu raison : comment donc! mais c'est une espèce de mère que cette servante-là.

LA BARONNE, *à Frontin*. — C'est un pédant[1] éternel que j'avais aux oreilles.

FRONTIN. — Elle se mêlait de vous donner des conseils; elle vous aurait gâtée à la fin.

LA BARONNE. — Je n'avais que trop d'envie de m'en défaire; mais je suis femme d'habitude, et je n'aime point les nouveaux visages.

LE CHEVALIER. — Il serait pourtant fâcheux que, dans le premier mouvement de sa colère, elle allât donner à M. Turcaret des impressions qui ne conviendraient ni à vous ni à moi.

---

1. *Pédant* : non seulement celui qui étale sa science, mais aussi *prêcheur*. (Voir ces deux sens dans La Fontaine : livre I, fable XIX, *l'Enfant et le Maître d'école*.) Comme, plus loin, la soubrette et la bigote, le pédant est un type de comédie, depuis Molière surtout.

━━━━━ ● **QUESTIONS** ━━━━━━━━━━━━━━━━━━━━━━━━

— Voyez de près comment Marine passe de l'ironie à la colère ouverte. Sa liberté de langage s'explique-t-elle par ce que vous savez d'elle, et de la Baronne?
— Cherchez les raisons de son hostilité au Chevalier (relisez la scène première). Voyez comment elle prend fait et cause pour la Baronne.
— A quoi se réduit sa morale, en fin de compte? Est-elle seule dans cette pièce à se préoccuper d'honorabilité? Caractérisez et limitez ce sentiment.
— Les termes d'*impertinente*, de *mère* et de *pédant* qui définissent Marine au début de la scène suivante rendent-ils un compte exact de son caractère?
— La disparition de ce personnage, pourtant bien campé, avant même la fin du premier acte, est, du point de vue classique, une maladresse. Vous jugerez plus tard de l'effet que produit son remplacement par Lisette; mais déjà ce départ ne fait-il pas rebondir l'intrigue?
— Montrez comment le Chevalier glisse à tout moment des paroles d'honnêteté, de probité, de conciliation, etc. Le verriez-vous ironique, rieur? — Son dernier geste et la parole qui suit : est-ce un simple effet comique (repris de Molière)?
— Pourquoi le silence de Frontin? Quelles attitudes doit prendre l'acteur? Dans son unique phrase, de qui se moque-t-il?

« M. Turcaret, madame, vous prie d'agréer ce petit présent. » (Acte premier, scène IV.)

Mise en scène de Jean Vilar au T. N. P., en 1960.

Phot. Bernand.

5   FRONTIN, *au chevalier*. — Oh! diable! elle n'y manquera pas : les soubrettes[1] sont comme les bigotes; elles font des actions charitables pour se venger.

  LA BARONNE, *au chevalier*. — De quoi s'inquiéter? Je ne la crains point. J'ai de l'esprit, et M. Turcaret n'en a guère : je
10 ne l'aime point, et il est amoureux. Je saurai me faire auprès de lui un mérite de l'avoir chassée.

  FRONTIN. — Fort bien, madame; il faut mettre tout à profit. (9)

  LA BARONNE. — Mais je songe que ce n'est pas assez de nous être débarrassés de Marine, il faut encore exécuter une idée
15 qui me vient dans l'esprit.

  LE CHEVALIER. — Quelle idée, madame?

  LA BARONNE. — Le laquais de M. Turcaret est un sot, un benêt, dont on ne peut tirer le moindre service; et je voudrais mettre à sa place quelque habile homme, quelqu'un de ces
20 génies supérieurs qui sont faits pour gouverner les esprits médiocres, et les tenir toujours dans la situation[2] dont on a besoin.

  FRONTIN. — Quelqu'un de ces génies supérieurs! Je vous vois venir, madame : cela me regarde.

25   LE CHEVALIER. — Mais, en effet, Frontin ne nous sera pas inutile auprès de notre traitant.

  LA BARONNE. — Je veux l'y placer.

  LE CHEVALIER. — Il nous en rendra bon compte, n'est-ce pas?

  FRONTIN. — Je suis jaloux de l'invention; on ne pouvait
30 rien imaginer de mieux. Par ma foi, monsieur Turcaret, je vous ferai bien voir du pays[3], sur ma parole. (10)

---

1. *Soubrette* a ici son sens substantif : servante. Mais servante comme type de comédie, dont Frontin donne ici une caractéristique (voir aussi page 33, ligne 201 et la note); 2. *Situation* : position sur l'échiquier; 3. *Faire voir du pays* (ou du chemin) : locution familière qui contient nos deux expressions modernes *en faire voir de toutes les couleurs ; faire marcher quelqu'un.*

———— ◆ QUESTIONS ————————————————

9. Femme d'habitude (ligne 450) : est-ce un trait bourgeois, ou une simple particularité chez une authentique baronne? — Relevez dans ce passage des mots de satire, des mots d'esprit. Sont-ils toujours dans la bouche du personnage chez qui on peut les attendre?

10. Remarquez le *nous* : voyez dans la suite de la scène qu'il y a dans cette pièce une vraie petite guerre, des alliances, des remplacements, des tactiques... En quoi est-ce révélateur de l'esprit de la pièce?
— Quelle hiérarchie sociale et morale la Baronne adopte-t-elle?

LA BARONNE. — Il m'a fait présent d'un billet au porteur de dix mille écus : je veux changer cet effet-là de nature; il en faut faire de l'argent : je ne connais personne pour cela; chevalier, 485 chargez-vous de ce soin; je vais vous remettre le billet. Retirez[1] ma bague, je suis bien aise de l'avoir, et vous me tiendrez compte du surplus.

FRONTIN. — Cela est trop juste, madame; et vous n'avez rien à craindre de notre probité.

490 LE CHEVALIER. — Je ne perdrai point de temps, madame, et vous aurez cet argent incessamment[2].

LA BARONNE. — Attendez un moment : je vais vous donner le billet. **(11)**

Scène IX. — LE CHEVALIER, FRONTIN. *son projet ?*

FRONTIN. — Un billet de dix mille écus! La bonne aubaine, 495 et la bonne femme! Il faut être aussi heureux que vous l'êtes, pour en rencontrer de pareilles : savez-vous que je la trouve un peu trop crédule pour une coquette?

LE CHEVALIER. — Tu as raison.

FRONTIN. — Ce n'est pas mal payer le sacrifice de notre vieille 500 folle de comtesse, qui n'a pas le sou.

LE CHEVALIER. — Il est vrai.

FRONTIN. — Madame la baronne est persuadée que vous avez perdu mille écus sur votre parole, et que son diamant

---

1. *Retirez* de chez le prêteur (à qui elle a été remise en gage); 2. Incessamment a déjà le sens moderne : sans retard (XVIIe siècle : sans cesse).

————— QUESTIONS —————

11. SUR L'ENSEMBLE DE LA SCÈNE VIII. — Pourquoi cette sortie de la Baronne?

— L'atmosphère de la scène : montrez qu'on a l'impression d'une détente, d'un soulagement depuis le départ de Marine. Soulignez l'homogénéité de ces personnages. En quoi Turcaret a-t-il lui aussi des traits qui l'apparentent à eux?

— Comment se précise le type de comédie vers lequel on s'achemine?

— La Baronne : comparez son acuité psychologique à l'égard de Turcaret avec son aveuglement vis-à-vis du Chevalier. Quelle conséquence pouvez-vous en tirer?

— Comment expliquez-vous le revirement du Chevalier vis-à-vis de Marine, maintenant qu'elle est partie? — Pourquoi Lesage ne donne-t-il pas au Chevalier plus d'initiative et d'audace, maintenant surtout?

est en gage : le lui rendrez-vous, monsieur, avec le reste du
505 billet?

LE CHEVALIER. — Si je le lui rendrai!

FRONTIN. — Quoi! tout entier, sans quelque nouvel article
de dépense?

LE CHEVALIER. — Assurément; je me garderai bien d'y
510 manquer.

FRONTIN. — Vous avez des moments d'équité; je ne m'y
attendais pas.

LE CHEVALIER. — Je serais un grand malheureux de m'exposer
à rompre avec elle à si bon marché.

515 FRONTIN. — Ah! je vous demande pardon : j'ai fait un jugement téméraire; je croyais que vous vouliez faire les choses
à demi.

LE CHEVALIER. — Oh! non. Si jamais je me brouille, ce ne
sera qu'après la ruine totale de M. Turcaret.

520 FRONTIN. — Qu'après sa destruction, là, son anéantissement?

LE CHEVALIER. — Je ne rends des soins[1] à la coquette que pour
ruiner le traitant.

FRONTIN. — Fort bien : à ces sentiments généreux, je reconnais mon maître.

SCÈNE X. — LE CHEVALIER, LA BARONNE,
FRONTIN.

525 LE CHEVALIER, *bas, à Frontin.* — Paix, Frontin, voici la
baronne.

LA BARONNE. — Allez, chevalier, allez, sans tarder davantage,
négocier ce billet, et me rendez ma bague le plus tôt que vous
pourrez.

530 LE CHEVALIER. — Frontin, madame, va vous la rapporter
incessamment : mais, avant que je vous quitte, souffrez que,
charmé de vos manières généreuses, je vous fasse connaître...

LA BARONNE. — Non, je vous le défends; ne parlons point
de cela.

---

1. *Soins :* voir, page 28, ligne 53 et la note.

535 LE CHEVALIER. — Quelle contrainte pour un cœur aussi reconnaissant que le mien!

LA BARONNE, *s'en allant*. — Sans adieu, chevalier. Je crois que nous nous reverrons tantôt.

LE CHEVALIER, *s'en allant*. — Pourrais-je m'éloigner de vous 540 sans une si douce espérance!

FRONTIN. — J'admire le train de la vie humaine! Nous plumons une coquette; la coquette mange un homme d'affaires; l'homme d'affaires en pille d'autres : cela fait un ricochet de fourberies le plus plaisant du monde. (12) (13)

──────── QUESTIONS ────────

12. SUR LES SCÈNES IX ET X. — Les Coquins à l'ouvrage. Voyez comment, après chaque départ d'un personnage, des masques tombent, le cynisme apparaît.

— Le calcul du Chevalier — sous les apparences de l'honnêteté — était-il prévisible? — Qu'a-t-il personnellement contre le Traitant? (La réplique finale de Frontin vous éclairera.) Le Chevalier veut déclarer son amour à la Baronne, et celle-ci refuse (scène x) : pourquoi? (Revoyez son *jeu* du désintéressement à l'égard de Turcaret, scène v.) — Voyez bien dans quel sens il dit *vos manières généreuses*, *douce espérance*, etc. *Cœur aussi reconnaissant* est encore une expression mise à la place d'une autre, ou à double sens...

— A la scène IX, quel est le ton de Frontin? — Dirige-t-il son maître ouvertement? Sa dernière réplique, pastichée de Corneille (« Je reconnis mon sang à ce noble courroux »), en dit long. Quelle est sa moralité? (*Généreux* a-t-il le sens cornélien?) — Quels sont ses rapports avec le Chevalier? Quel mot faudrait-il sous-entendre à *mon maître?* Voyez les rapports de Jacques le Fataliste et de son maître, dans le roman de Diderot.

— Pourquoi s'acharne-t-il, plus que le Chevalier, sur le Traitant?

13. SUR L'ENSEMBLE DU PREMIER ACTE. — Comment Lesage concilie-t-il exposition et marche de l'action dans le début de sa pièce?

— La psychologie : faites un rapide portrait de chaque personnage.

— Relisez tout le premier acte en y étudiant le mélange continuel du langage amoureux et du langage comptable. Tout ce monde a les mêmes mots à la bouche, malgré les efforts de la Baronne (exemples?) pour se conformer aux conventions de la préciosité. Mais, au fait, pourquoi veut-elle s'y conformer?

— La moralité que Frontin adresse aux spectateurs vous permet de relire les trois dernières scènes en voyant comment Frontin est le Diable, en deux sens : — comme tentateur discret, tirant les ficelles; — comme Diable boiteux, levant le toit des maisons pour montrer ce qui s'y passe; autrement dit comme donneur de spectacle. Lisez, si vous ne l'avez déjà fait, la Critique de *Turcaret* par le Diable boiteux, au moins la partie qui précède le lever du rideau... Montrez ainsi quelle est la façon dont Lesage moralise.

ACTE II

Scène première. — LA BARONNE, FRONTIN.

545 FRONTIN, *lui donnant le diamant.* — Je n'ai pas perdu de temps, comme vous voyez, madame; voilà votre diamant : l'homme qui l'avait en gage me l'a remis entre les mains dès qu'il a vu briller le billet au porteur, qu'il veut escompter[1] moyennant un très honnête profit. Mon maître, que j'ai laissé avec lui, va
550 venir vous en rendre compte.

LA BARONNE. — Je suis enfin débarrassée de Marine : elle a sérieusement pris son parti; j'appréhendais que ce ne fût qu'une feinte : elle est sortie. Ainsi, Frontin, j'ai besoin d'une femme de chambre; je te charge de m'en chercher une autre.

555 FRONTIN. — J'ai votre affaire en main; c'est une jeune personne douce, complaisante, comme il vous la faut : elle verrait tout aller sens dessus dessous dans votre maison, sans dire une syllabe.

LA BARONNE. — J'aime ces caractères-là. Tu la connais
560 particulièrement?

FRONTIN. — Très particulièrement; nous sommes même un peu parents.

LA BARONNE. — C'est-à-dire que l'on peut s'y[2] fier.

FRONTIN. — Comme à moi-même; elle est sous ma tutelle;
565 j'ai l'administration de ses gages et de ses profits, et j'ai soin de lui fournir tous ses petits besoins.

LA BARONNE. — Elle sert sans doute actuellement?

FRONTIN. — Non, elle est sortie de condition[3] depuis quelques jours.

570 LA BARONNE. — Et pour quel sujet?

FRONTIN. — Elle servait des personnes qui mènent une vie retirée, qui ne reçoivent que des visites sérieuses; un mari et une femme qui s'aiment, des gens extraordinaires; enfin c'est une maison triste : ma pupille s'y est ennuyée.

---

1. *Escompter* : payer en espèces à la place du débiteur qui a signé le billet, en retenant un escompte (« profit ») qui allait jusqu'à 25 p. 100; 2. *Y* en langue classique pouvait également représenter une personne; 3. Elle a quitté son service domestique.

575　LA BARONNE. — Où donc est-elle à l'heure qu'il est?

FRONTIN. — Elle est logée chez une vieille prude[1] de ma connaissance, qui, par charité, retire des femmes de chambre hors de condition, pour savoir ce qui se passe dans les familles.

LA BARONNE. — Je la voudrais bien avoir dès aujourd'hui;
580　je ne puis me passer de fille.

FRONTIN. — Je vais vous l'envoyer, madame, ou vous l'amener moi-même : vous en serez contente. Je ne vous ai pas dit toutes ses bonnes qualités : elle chante et joue à ravir de toutes sortes d'instruments.

585　LA BARONNE. — Mais, Frontin, vous me parlez là d'un fort joli sujet.

FRONTIN. — Je vous en réponds; aussi je la destine pour l'*Opéra*[2]; mais je veux auparavant qu'elle se fasse dans le monde; car il n'en faut là que de toutes faites. *(Il s'en va.)*

590　LA BARONNE. — Je l'attends avec impatience.

Scène II. — LA BARONNE.

Cette fille-là me sera d'un grand agrément; elle me divertira par ses chansons, au lieu que l'autre ne faisait que me chagriner par sa morale. (1)

Scène III. — LA BARONNE, M. TURCARET.

LA BARONNE, *apercevant M. Turcaret, à elle-même*. — Mais
595　je vois M. Turcaret; ah! qu'il paraît agité! Marine l'aura été trouver.

---

1. Rapprochez de I, VIII, ligne 456. Ces *prudes* interlopes et manigancières, comme on en voit chez Diderot (*Jacques le Fataliste*, épisode de Mme des Arcis), ne sont pas de simples personnages traditionnels de comédie (pensez à Arsinoé, dans *le Misanthrope*); 2. *Opéra*. On y donnait des bals masqués. Voir Documentation thématique.

─────── QUESTIONS ───────

1. SUR LES SCÈNES I ET II. — Relevez les détails « documentaires » sur le monde interlope où se meut Frontin, et que la Baronne ne dédaigne pas de fréquenter.

— Étudiez l'ironie et la bonne humeur de Frontin. La Baronne elle-même semble s'y mettre; vous y attendiez-vous? Mais est-ce la première fois qu'on la voit se « dégourdir » en présence de Frontin?

— Marine, malgré son cynisme, était encore trop sérieuse pour elle; quelles relations pensez-vous qu'elle cherche chez ses filles de compagnie?

M. TURCARET, *essoufflé*. — Ouf! je ne sais par où commencer, perfide!

LA BARONNE, *bas, à elle-même*. — Elle lui a parlé.

600 M. TURCARET. — J'ai appris de vos nouvelles, déloyale! J'ai appris de vos nouvelles; on vient de me rendre compte de vos perfidies, de votre dérangement[1].

LA BARONNE, *haut*. — Le début est agréable; et vous employez de fort jolis termes, monsieur!

605 M. TURCARET. — Laissez-moi parler; je veux vous dire vos vérités; Marine me les a dites. Ce beau chevalier qui vient ici à toute heure, et qui ne m'était pas suspect sans raison, n'est pas votre cousin, comme vous me l'avez fait accroire : vous avez des vues pour l'épouser, et pour me planter là, moi, quand 610 j'aurai fait votre fortune.

LA BARONNE. — Moi, monsieur, j'aimerais le chevalier!

M. TURCARET. — Marine me l'a assuré, et qu'il ne faisait figure dans le monde qu'aux dépens de votre bourse et de la mienne, et que vous lui sacrifiez tous les présents que je vous fais.

615 LA BARONNE. — Marine est une fort jolie personne! Ne vous a-t-elle dit que cela, monsieur?

M. TURCARET. — Ne me répondez point, félonne. J'ai de quoi vous confondre! Ne me répondez point. Parlez : qu'est devenu, par exemple, ce gros brillant que je vous donnai l'autre jour? 620 Montrez-le-moi tout à l'heure, montrez-le-moi.

LA BARONNE. — Puisque vous le prenez sur ce ton-là, monsieur, je ne veux pas vous le montrer.

M. TURCARET. — Hé! sur quel ton, morbleu, prétendez-vous donc que je le prenne? Oh! vous n'en serez pas quitte pour des 625 reproches! Ne croyez pas que je sois assez sot pour rompre avec vous sans bruit, pour me retirer sans éclat; je veux laisser ici des marques de mon ressentiment[2]. Je suis honnête homme : j'aime de bonne foi; je n'ai que des vues légitimes; je ne crains pas le scandale, moi. Ah! vous n'avez pas affaire à un abbé[3], 630 je vous en avertis. (*Il entre dans la chambre de la baronne.*)

---

1. *Dérangement* : désordres; 2. *Ressentiment* peut être interprété au sens de rancune, désir de vengeance, ou simplement de sentiment qui affecte profondément, passion; 3. Il s'agit des abbés galants, personnages ridicules dans la farce; voir *le Tartuffe*, III, iii; *je ne crains pas* : je n'ai pas à craindre un scandale si on me surprend.

LA BARONNE. — Non; j'ai affaire à un extravagant, un possédé!... Oh bien! faites, monsieur, faites tout ce qu'il vous plaira; je ne m'y opposerai point, je vous assure... Mais... qu'entends-je?...[1] Ciel! quel désordre!... Il est effectivement
635 devenu fou... Monsieur Turcaret, monsieur Turcaret, je vous ferai bien expier vos emportements.

M. TURCARET, *rentrant*. — Me voilà à demi soulagé. J'ai déjà cassé la grande glace et les plus belles porcelaines.

LA BARONNE. — Achevez, monsieur. Que ne continuez-vous?

640 M. TURCARET. — Je continuerai quand il me plaira, madame... Je vous apprendrai à vous jouer à un homme comme moi... Allons, ce billet au porteur, que je vous ai tantôt envoyé, qu'on me le rende!

LA BARONNE. — Que je vous le rende! Et si je l'ai aussi
645 donné au chevalier?

M. TURCARET. — Ah! si je le croyais!

LA BARONNE. — Que vous êtes fou! En vérité, vous me faites pitié.

M. TURCARET. — Comment donc! Au lieu de se jeter à mes
650 genoux et de me demander grâce, encore dit-elle que j'ai tort, encore dit-elle que j'ai tort!

LA BARONNE. — Sans doute. (2)

M. TURCARET. — Ah! vraiment, je voudrais bien, par plaisir, que vous entreprissiez de me persuader cela.

655 LA BARONNE. — Je le ferais, si vous étiez en état d'entendre raison.

M. TURCARET. — Et que me pourriez-vous dire, traîtresse?

LA BARONNE. — Je ne vous dirai rien. Ah! quelle fureur!

---

1. Pendant ces phrases, on entend dans la pièce voisine un grand bris de verre et de porcelaine. Les dernières répliques semblent devoir être dites à mi-voix, en aparté.

■ QUESTIONS ■

2. Le comique de l'entrée de Turcaret : analysez-en les éléments. Pourquoi d'emblée savons-nous qu'il sera dupé? Caractérisez son attitude; comparez sa fureur, ses manifestations, avec celle d'Alceste dans *le Misanthrope* (IV, III) : les traits communs, les différences que vous vous attacherez à justifier. L'attitude de la Baronne : quel atout détient-elle pour calmer Turcaret? Pourquoi ne l'emploie-t-elle pas aussitôt?

M. TURCARET, *essoufflé.* — Eh bien! parlez, madame, parlez;
660 je suis de sang-froid.

LA BARONNE. — Écoutez-moi donc... Toutes les extravagances
que vous venez de faire sont fondées sur un faux rapport que
Marine...

M. TURCARET. — Un faux rapport! ventrebleu! ce n'est point...

665 LA BARONNE. — Ne jurez pas, monsieur, ne m'interrompez
pas; songez que vous êtes de sang-froid.

M. TURCARET. — Je me tais : il faut que je me contraigne.

LA BARONNE. — Savez-vous bien pourquoi je viens de chasser
Marine?

670 M. TURCARET. — Oui : pour avoir pris trop chaudement mes
intérêts.

LA BARONNE. — Tout au contraire; c'est à cause qu'elle me
reprochait sans cesse l'inclination que j'avais pour vous. « Est-il
« rien de si ridicule, me disait-elle à tous moments, que de
675 « voir la veuve d'un colonel[1] songer à un monsieur Turcaret,
« un homme sans naissance, sans esprit, de la mine la plus
« basse...

M. TURCARET. — Passons, s'il vous plaît, sur les qualités :
cette Marine-là est une impudente.

680 LA BARONNE. — « Pendant que vous pouvez choisir un époux
« entre vingt personnes de la première qualité; lorsque vous
« refusez votre aveu[2] même aux pressantes instances de toute
« la famille d'un marquis dont vous êtes adorée, et que vous
« avez la faiblesse de sacrifier à ce monsieur Turcaret? »

685 M. TURCARET. — Cela n'est pas possible.

LA BARONNE. — Je ne prétends pas m'en faire un mérite,
monsieur. Ce marquis est un jeune seigneur fort agréable de
sa personne, mais dont les mœurs et la conduite ne me
conviennent point. Il vient ici quelquefois avec mon cousin
690 le chevalier, son ami. J'ai découvert qu'il avait gagné Marine,
et c'est pour cela que je l'ai congédiée. Elle a été vous débiter
mille impostures pour se venger, et vous êtes assez crédule

---

1. *Colonel.* Cela supposait une certaine noblesse — du moins en France; et la
Baronne omet, pour les besoins de la cause, de rappeler que son colonel était étranger
et assez peu fortuné (voir I, I, lignes 12-17); 2. *Aveu :* consentement (à rapprocher
de notre verbe *désavouer*).

pour y ajouter foi! Ne deviez-vous pas[1], dans le moment[2], faire réflexion que c'était une servante passionnée qui vous
695 parlait, et que, si j'avais eu quelque chose à me reprocher, je n'aurais pas été assez imprudente pour chasser une fille dont j'avais à craindre l'indiscrétion? Cette pensée, dites-moi, ne se présente-t-elle pas naturellement à l'esprit?

M. TURCARET. — J'en demeure d'accord, mais...

700 LA BARONNE. — Mais, mais vous avez tort. Elle vous a donc dit, entre autres choses, que je n'avais plus ce gros brillant qu'en badinant vous me mîtes l'autre jour au doigt, et que vous me forçâtes d'accepter?

M. TURCARET. — Oh! oui; elle m'a juré que vous l'avez
705 donné aujourd'hui au chevalier, qui est, dit-elle, votre parent comme Jean de Vert[3].

LA BARONNE. — Et si je vous montrais tout à l'heure[4] ce même diamant, que diriez-vous?

M. TURCARET. — Oh! je dirais, en ce cas-là, que... Mais cela
710 ne se peut pas.

LA BARONNE. — Le voilà, monsieur; le reconnaissez-vous? Voyez le fonds que l'on doit faire sur le rapport de certains valets. (3)

M. TURCARET. — Ah! que cette Marine-là est une grande
715 scélérate! Je reconnais sa friponnerie et mon injustice : pardonnez-moi, madame, d'avoir soupçonné votre bonne foi.

LA BARONNE. — Non, vos fureurs ne sont point excusables : allez, vous êtes indigne de pardon.

---

1. *Ne deviez-vous pas* : n'auriez-vous pas dû? (tournure classique); 2. *Dans le moment* : sur le coup, aussitôt; 3. *Jean de Vert* (locution populaire). Ce personnage est à mettre sur le même plan que divers personnages étrangers qui furent ridiculisés après une défaite ou autre mésaventure : Marlborough, le roi de Prusse, etc. (Il s'agit d'un Belge, Jean de Weert, devenu, au temps de Louis XIV, maréchal de camp autrichien, et qui fut capturé à Paris); 4. *Tout à l'heure* : tout de suite et inversement (langue classique).

QUESTIONS

3. Quelle est la première défaite de Turcaret? Comment la Baronne le fait-elle tenir calme? En quoi est-ce un élément de ridicule pour le financier? — Dans la justification de la Baronne, cherchez les traits qui relèvent encore son attrait pour Turcaret. Le comique de ce rapport, souligné par les remarques de l'interlocuteur. Montrez que la Baronne ne se contente pas de duper le financier, mais qu'elle le blesse et l'insulte en même temps. Par quel trait achève-t-elle de le confondre?

M. TURCARET. — Je l'avoue.

20 LA BARONNE. — Fallait-il vous laisser si facilement prévenir contre une femme qui vous aime avec trop de tendresse?

M. TURCARET. — Hélas! non... Que je suis malheureux!

LA BARONNE. — Convenez que vous êtes un homme bien faible.

25 M. TURCARET. — Oui, madame.

LA BARONNE. — Une franche dupe.

M. TURCARET. — J'en conviens. Ah! Marine! coquine de Marine! Vous ne sauriez vous imaginer tous les mensonges que cette pendarde-là m'est venue conter... Elle m'a dit que 30 vous et monsieur le chevalier vous me regardiez comme votre vache à lait; et que, si aujourd'hui pour demain[1] je vous avais tout donné, vous me feriez fermer votre porte au nez.

LA BARONNE. — La malheureuse!

M. TURCARET. — Elle me l'a dit, c'est un fait constant[2]; je 35 n'invente rien, moi.

LA BARONNE. — Et vous avez eu la faiblesse de la croire un seul moment!

M. TURCARET. — Oui, madame, j'ai donné là-dedans comme un franc sot... Où diable avais-je l'esprit?

40 LA BARONNE. — Vous repentez-vous de votre crédulité?

M. TURCARET, *se jetant à genoux*. — Si je m'en repens! Je vous demande mille pardons de ma colère. (4)

LA BARONNE, *le relevant*. — On[3] vous la pardonne. Levez-vous, monsieur. Vous auriez moins de jalousie si vous aviez

---

1. Comprenez : « si je vous avais maintenant déjà donné tout ce que je pensais vous donner par la suite »; 2. *Constant :* bien établi; 3. *On :* manière précieuse de dire *je ;* particulièrement bien venue dans la bouche d'une femme prétendument offensée et pardonnante.

▬ QUESTIONS ▬

4. La Comédie de l'Ouest avait prévu le jeu de scène suivant : quand Turcaret arrive, la Baronne est en train de faire des réussites. Dans un mouvement de colère, il balaie les cartes. Quand la Baronne l'a convaincu de son erreur, elle lui fait un geste impératif (ligne 740), et, à quatre pattes, il ramasse toutes les cartes; ce qui l'amène peu à peu jusqu'aux genoux de sa maîtresse, qui trône sur son lit. Qu'en pensez-vous?
— Analysez l'ambiguïté des dernières répliques de la Baronne, lorsqu'elle fait convenir Turcaret de sa naïveté. Effet comique.

Roger Mollien (LE CHEVALIER) et Christiane Minazzoli (LA BARONNE),
dans une mise en scène de Jean Vilar au T. N. P., en 1960.

745 moins d'amour, et l'excès de l'un fait oublier la violence de l'autre.

M. TURCARET. — Quelle bonté!... Il faut avouer que je suis un grand brutal!

LA BARONNE. — Mais, sérieusement, monsieur, croyez-vous
750 qu'un cœur puisse balancer un instant entre vous et le chevalier?

M. TURCARET. — Non, madame, je ne le crois pas; mais je le crains.

LA BARONNE. — Que faut-il faire pour dissiper vos craintes?

M. TURCARET. — Éloigner d'ici cet homme-là; consentez-y,
755 madame; j'en sais les moyens.

LA BARONNE. — Eh! quels sont-ils?

M. TURCARET. — Je lui donnerai une direction en province[1].

LA BARONNE. — Une direction!

M. TURCARET. — C'est ma manière d'écarter les incom-
760 modes... Ah! combien de cousins, d'oncles et de maris j'ai faits directeurs en ma vie! J'en ai envoyé jusqu'en Canada[2].

LA BARONNE. — Mais vous ne songez pas que mon cousin le chevalier est homme de condition[3], et que ces sortes d'emplois ne lui conviennent pas... Allez, sans vous mettre en peine
765 de l'éloigner de Paris, je vous jure que c'est l'homme du monde[4] qui doit vous causer le moins d'inquiétude.

M. TURCARET. — Ouf! j'étouffe d'amour et de joie; vous me dites cela d'une manière si naïve[5], que vous me persuadez... Adieu, mon adorable, mon tout, ma déesse... Allez, allez,
770 je vais bien réparer la sottise que je viens de faire[6]. Votre grande glace n'était pas tout à fait nette, au moins[6]; et je trouvais vos porcelaines assez communes.

LA BARONNE. — Il est vrai.

M. TURCARET. — Je vais vous en chercher d'autres.

775 LA BARONNE. — Voilà ce que vous coûtent vos folies.

---

1. Voir Notice, sur les fermiers généraux, page 16; 2. *Canada.* Depuis 1608 (fondation de Québec), il est exploité par les Compagnies; 3. *De condition :* noble (depuis peu); 4. Tournure classique : «de toute la terre, c'est l'homme qui doit... »; 5. *Naïve :* naturelle; 6. *Au moins :* à coup sûr.

M. TURCARET. — Bagatelle!... Tout ce que j'ai cassé ne valait pas plus de trois cents pistoles. *(Il veut s'en aller, la baronne l'arrête.)* (5)

LA BARONNE. — Attendez, monsieur; il faut que je vous
780 fasse une prière auparavant.

M. TURCARET. — Une prière! Oh! donnez vos ordres.

LA BARONNE. — Faites avoir une commission[1], pour l'amour de moi, à ce pauvre Flamand, votre laquais. C'est un garçon pour qui j'ai pris de l'amitié.

785 M. TURCARET. — Je l'aurais déjà poussé, si je lui avais trouvé quelque disposition; mais il a l'esprit trop bonasse; cela ne vaut rien pour les affaires.

LA BARONNE. — Donnez-lui un emploi qui ne soit pas difficile à exercer.

790 M. TURCARET. — Il en aura un dès aujourd'hui; cela vaut fait[2].

LA BARONNE. — Ce n'est pas tout; je veux mettre auprès de vous Frontin, le laquais de mon cousin le chevalier, c'est aussi un très bon enfant.

M. TURCARET. — Je le prends, madame, et vous promets de
795 le faire commis au premier jour[3]. (6) (7)

---

1. *Commission* : emploi de commis; 2. *Cela vaut fait* : c'est chose faite; 3. *Jour* : (à la première) occasion.

--- **QUESTIONS** ---

5. Relevez les traits de satire des mœurs que ce passage contient. Comment Turcaret s'en trouve-t-il encore plus méprisable? Pourquoi Lesage le charge-t-il ainsi à ce moment? Quelle morale se dégage ainsi de sa défaite?

6. Comment se complète le triomphe de la Baronne?

7. SUR L'ENSEMBLE DE LA SCÈNE III. — Mouvement de la scène : étudiez l'évolution du jeu de la Baronne; celle de l'attitude de Turcaret — les relations entre l'un et l'autre.
— Le langage de Turcaret : essoufflements, explosions, répétitions, injures grandiloquentes ou jurons populaires (relevez-les). Dans le deuxième temps, exclamations sans contenu. Enfin, rapidité des décisions, mots gentils et soumis, etc. Étudiez la conformité entre l'expression et l'âme du personnage.
— Comparez au *Misanthrope* (IV, III) point par point. Les différences sont-elles dues au fait que, chez Lesage, on n'a pas affaire à des personnages de vraie noblesse? L'émotion que Molière provoque chez le spectateur en faveur d'Alceste, l'élimineriez-vous ici au détriment de Turcaret? Comparez le rôle de la Baronne à celui de Célimène, en tenant compte de la différence de situation initiale. (Suite, p. 59.)

Scène IV. — LA BARONNE, M. TURCARET,
FRONTIN.

FRONTIN, *à la baronne*. — Madame, vous allez bientôt avoir la fille dont je vous ai parlé.

LA BARONNE, *à M. Turcaret*. — Monsieur, voilà le garçon que je veux vous donner.

M. TURCARET. — Il paraît un peu innocent.

LA BARONNE. — Que vous vous connaissez bien en physionomie[1] !

M. TURCARET. — J'ai le coup d'œil infaillible... *(A Frontin.)* Approche, mon ami : dis-moi un peu, as-tu déjà quelques principes?

FRONTIN. — Qu'appelez-vous des principes?

M. TURCARET. — Des principes de commis; c'est-à-dire, si tu sais comment on peut empêcher les fraudes ou les favoriser?

FRONTIN. — Pas encore, monsieur; mais je sens que j'apprendrai cela fort facilement.

M. TURCARET. — Tu sais, du moins, l'arithmétique? tu sais faire des comptes à parties simples[2]?

FRONTIN. — Oh! oui, monsieur; je sais même faire des parties

---

1. *Physionomie*. C'était la nouvelle science à la mode; 2. Comptabilité *à parties simples* : où l'on note seulement les achats de chaque client (ou vendeur). En *parties doubles* : où l'on tient face à face le compte du débiteur et celui du créancier, pour aboutir à la balance des comptes. Mais Frontin, qui a compris ce que Turcaret attend de lui, prend *double* au sens de frauduleux (à rapprocher de *agent double*), de même que *oblique* (817), qui veut dire, initialement, « qui n'est pas droit ». Et cela l'amène au mauvais calembour sur la *bâtarde* (ligne 821) : il s'agissait d'une écriture combinée de ronde et d'anglaise... mais cela laisse sous-entendre qu'il saura falsifier les *écritures* (documents de comptabilité).

QUESTIONS

— Pour l'interprétation scénique, une autre comparaison s'impose : Arnolphe bafoué par Agnès, dans l'*Ecole des femmes*, V, IV. On peut dans les deux cas hésiter entre le ridicule total et une certaine maladresse sympathique. Mais c'est toute la question de la virulence de *Turcaret* qui se pose...

— Ce genre de plagiat étant admis (Molière l'avait fait avant Lesage, et se plagiait lui-même), voyez si Lesage a su vraiment intégrer cette scène : — dans l'action; — dans la psychologie des personnages. Montrez qu'il s'agit essentiellement d'une révélation progressive des talents et du fond de l'âme de la Baronne, qui était, au premier acte, encore mal définie.

doubles. J'écris aussi de deux écritures, tantôt de l'une et
815 tantôt de l'autre.

M. TURCARET. — De la ronde, n'est-ce pas?

FRONTIN. — De la ronde, de l'oblique.

M. TURCARET. — Comment, de l'oblique?

FRONTIN. — Hé! oui, d'une écriture que vous connaissez...
820 là... d'une certaine écriture qui n'est pas légitime.

M. TURCARET, *à la baronne*. — Il veut dire de la bâtarde.

FRONTIN. — Justement : c'est ce mot-là, que je cherchais.

M. TURCARET, *à la baronne*. — Quelle ingénuité!... Ce garçon-là,
madame, est bien niais.

825 LA BARONNE. — Il se déniaisera dans vos bureaux.

M. TURCARET. — Oh! qu'oui, madame, oh! qu'oui. D'ailleurs,
un bel esprit n'est pas nécessaire pour faire son chemin. Hors
moi et deux ou trois autres, il n'y a parmi nous que des génies
assez communs. Il suffit d'un certain usage, d'une routine que
830 l'on ne manque guère d'attraper. Nous voyons tant de gens!
Nous nous étudions à prendre ce que le monde a de meilleur;
voilà toute notre science.

LA BARONNE. — Ce n'est pas la plus inutile de toutes.

M. TURCARET, *à Frontin*. — Oh çà! mon ami, tu es à moi,
835 et tes gages courent dès ce moment. **(8)**

FRONTIN. — Je vous regarde donc, monsieur, comme mon
nouveau maître... Mais en qualité d'ancien laquais de M. le
chevalier, il faut que je m'acquitte d'une commission dont il
m'a chargé : il vous donne, et à madame sa cousine, à souper
840 ici ce soir.

M. TURCARET. — Très volontiers.

FRONTIN. — Je vais ordonner chez Fite[1] toutes sortes de

---

1. *Fite* est un traiteur ou restaurateur célèbre à cette époque. Les *ragoûts* étaient
plus raffinés que les « rôts » ou les viandes bouillies; c'étaient des plats cuisinés
avec sauces et ingrédients propres à exciter l'appétit (ragoûter). — Le vin de *Champagne* était depuis peu devenu mousseux... et célèbre.

──────── **QUESTIONS** ────────────

8. Indiquez les mimiques successives que devrait avoir Frontin dans
ce passage. Relevez, à la ligne 831, le double sens de l'expression *prendre
ce que le monde a de meilleur*. — Pourquoi Turcaret embauche-t-il si vite
Frontin? (Deux raisons au moins, l'une relative à la Baronne, l'autre
à Frontin.)

ragoûts, avec vingt-quatre bouteilles de vin de Champagne; et pour égayer le repas, vous aurez des voix et des instruments.

LA BARONNE. — De la musique, Frontin?

FRONTIN. — Oui, madame; à telles enseignes que j'ai ordre de commander cent bouteilles de Suresnes[1] pour abreuver la symphonie[2].

LA BARONNE. — Cent bouteilles!

FRONTIN. — Ce n'est pas trop, madame. Il y aura huit concertants, quatre Italiens de Paris, trois chanteurs, et deux gros-chantres.

M. TURCARET. — Il a, ma foi, raison, ce n'est pas trop. Ce repas sera fort joli[3].

FRONTIN. — Oh diable! quand M. le chevalier donne des soupers comme cela, il n'épargne rien, monsieur.

M. TURCARET. — J'en suis persuadé.

FRONTIN. — Il semble qu'il ait à sa disposition la bourse d'un partisan.

LA BARONNE, *à M. Turcaret.* — Il veut dire qu'il fait les choses fort magnifiquement[4].

M. TURCARET. — Qu'il est ingénu! *(A Frontin.)* Eh bien! nous verrons cela tantôt. *(A la baronne.)* Et, pour surcroît de réjouissance, j'amènerai ici M. Gloutonneau[5], le poète; aussi bien, je ne saurais manger, si je n'ai quelque bel esprit à ma table.

LA BARONNE. — Vous me ferez plaisir. Cet auteur apparemment est fort brillant dans la conversation?

---

1. *Suresnes.* En réalité, il s'agit du vin de Surin, sur les bords du Loir; 2. *Symphonie* désigne ici l'orchestre et les chanteurs. Les concertants sont les « pupitres » de l'orchestre, les instrumentistes (tenant chacun leur partie dans le concert). Les *Italiens de Paris* sont probablement des chanteurs de ce qui deviendra l'Opéra-Comique; les gros-chantres sont des castrats, tenant la partie de haute-contre (actuellement confiée aux femmes, voix de contralti). Cette « symphonie » forme un ensemble assez considérable pour un simple repas... payé par un chevalier criblé de dettes! 3. *Joli :* adjectif à la mode et presque vidé de son sens; 4. *Magnifiquement.* A l'époque, cela signifie « sans compter ». C'est donc un éloge des partisans que la Baronne feint de tirer de l'allusion de Frontin; 5. *Gloutonneau :* à rapprocher de la note sur les personnages, p. 17 : Rafle, Furet... Le poète famélique est presque traditionnel (satire IV de Boileau). Cf. aussi le mot de Voltaire à l'un d'eux qui disait : « Madame, je me jette sur votre plat de lentilles avec la même fureur que Samson sur les Philistins. » « Non, rectifia Voltaire, avec la même mâchoire. » Il s'agissait, selon la Bible, d'une mâchoire d'âne.

M. TURCARET. — Il ne dit pas quatre paroles dans un repas;
870 mais il mange et pense beaucoup. Peste! c'est un homme bien
agréable... Oh çà! je cours chez Dautel[1], vous acheter...

LA BARONNE. — Prenez garde à ce que vous ferez, je vous
en prie : ne vous jetez point dans une dépense...

M. TURCARET, *l'interrompant à son tour.* — Eh! fi! madame, fi!
875 vous vous arrêtez à des minuties. Sans adieu, ma reine.

LA BARONNE. — J'attends votre retour impatiemment.
(M. Turcaret sort.) **(9) (10)**

Scène V. — LA BARONNE, FRONTIN.

LA BARONNE. — Enfin, te voilà en train de faire ta fortune.

FRONTIN. — Oui, madame, et en état de ne pas nuire à la
880 vôtre.

LA BARONNE. — C'est à présent, Frontin, qu'il faut donner
l'essor à ce génie supérieur...

FRONTIN. — On tâchera de vous prouver qu'il n'est pas
médiocre.

885 LA BARONNE. — Quand m'amènera-t-on cette fille?

FRONTIN. — Je l'attends; je lui ai donné rendez-vous ici.

LA BARONNE. — Tu m'avertiras quand elle sera venue. *(Elle
passe dans sa chambre.)*

---

1. *Dautel :* bijoutier à la mode.

QUESTIONS

9. Le repas donné par le Chevalier : recherchez les éléments traditionnels à ce sujet, en vous référant au *Repas ridicule* de Boileau, à
l'Avare et au *Bourgeois gentilhomme* de Molière, entre autres. En compa-
rant ce texte au *Gil Blas* de Lesage et au *Neveu de Rameau* de Diderot,
analysez le rôle social des parasites et des financiers mécènes. — Étudiez
la « naïveté » calculée de Frontin et ses effets.

10. SUR L'ENSEMBLE DE LA SCÈNE IV. — Quels documents nous apporte-
t-elle sur le milieu financier?
— Étudiez le contraste entre l'aisance de Turcaret et sa gêne à la fin
de la scène III.
— La vanité de Turcaret. Comment imite-t-il le ton des nobles (galanterie...) et leur prodigalité? Relevez, ici et précédemment, les autres traits
par lesquels il essaie de ne pas être un trop mauvais bourgeois gentilhomme.
— Le comique dans cette scène.

Scène VI. — FRONTIN.

Courage! Frontin! mon ami; la fortune t'appelle. Te voilà
890 chez un homme d'affaires par le canal d'une coquette. Quelle
joie! L'agréable perspective! Je m'imagine que toutes les
choses que je vais toucher vont se convertir en or... *(Voyant
paraître Lisette.)* Mais j'aperçois ma pupille.

Ils s'entendent

Scène VII. — LISETTE, FRONTIN.

FRONTIN. — Tu sois[1] la bienvenue, Lisette!... On t'attend
895 avec impatience dans cette maison.

LISETTE. — J'y entre avec une satisfaction dont je tire un
bon augure.

FRONTIN. — Je t'ai mise au fait sur tout ce qui se passe et
sur tout ce qui s'y doit passer : tu n'as qu'à te régler là-dessus.
900 Souviens-toi seulement qu'il faut avoir une complaisance
infatigable.

LISETTE. — Il n'est pas besoin de me recommander cela.

FRONTIN. — Flatte sans cesse l'entêtement[2] que la baronne
a pour le chevalier; c'est là le point.

905 LISETTE. — Tu me fatigues de leçons inutiles. **(11)**

Scène VIII. — LE CHEVALIER, FRONTIN, LISETTE.

FRONTIN, *voyant arriver le chevalier.* — Le voici qui vient.

LISETTE, *examinant le chevalier.* — Je ne l'avais pas encore vu...
Ah! qu'il est bien fait, Frontin!

FRONTIN. — Il ne faut pas être malbâti pour donner de l'amour
910 à une coquette.

---

1. Sur ce subjonctif, voir p. 36, ligne 261 et la note; 2. *Entêtement* : voir p. 26,
ligne 26 et la note.

QUESTIONS
---

11. SUR LES SCÈNES V À VII. — Intérêt de ces quelques scènes, aux
points de vue technique, dramatique, psychologique.
— Marquez une sorte de progression entre elles; sur quel plan?
— Comment vous apparaît Lisette ici?

LE CHEVALIER, *à Frontin, sans voir d'abord Lisette.* — Je te rencontre à propos, Frontin, pour t'apprendre... *(Apercevant Lisette.)* Mais que vois-je? Quelle est cette beauté brillante?

FRONTIN. — C'est une fille que je donne à madame la baronne
915 pour remplacer Marine.

LE CHEVALIER. — Et c'est sans doute une de tes amies?

FRONTIN. — Oui, monsieur; il y a longtemps que nous nous connaissons. Je suis son répondant.

LE CHEVALIER. — Bonne caution! C'est faire son éloge en
920 un mot. Elle est, parbleu! charmante... Monsieur le répondant, je me plains de vous.

FRONTIN. — D'où vient?

LE CHEVALIER. — Je me plains de vous, vous dis-je. Vous savez toutes mes affaires, et vous me cachez les vôtres. Vous
925 n'êtes pas un ami sincère.

FRONTIN. — Je n'ai pas voulu, monsieur...

LE CHEVALIER, *l'interrompant.* — La confiance pourtant doit être réciproque. Pourquoi m'avoir fait mystère d'une si belle découverte?

930 FRONTIN. — Ma foi, monsieur, je craignais...

LE CHEVALIER, *l'interrompant.* — Quoi?

FRONTIN. — Oh! monsieur, que diable, vous m'entendez de reste.

LE CHEVALIER, *à part.* — Le maraud! où a-t-il été déterrer
935 ce petit minois-là? *(A Frontin.)* Frontin, monsieur Frontin, vous avez le discernement fin et délicat quand vous faites un choix pour vous-même; mais vous n'avez pas le goût si bon pour vos amis... Ah! la piquante représentation[1]! l'adorable grisette[2]!

940 LISETTE, *à part.* — Què les jeunes seigneurs sont honnêtes[3]!

LE CHEVALIER. — Non, je n'ai jamais rien vu de si beau que cette créature-là.

LISETTE, *à part.* — Que leurs expressions sont flatteuses!... Je ne m'étonne plus que les femmes les courent.

---

1. *Représentation* : image; 2. *Grisette* : fille de petite condition sociale (à l'origine : vêtue de gris, donc d'un tissu terne et peu salissant). On sait déjà apprécier les grisettes, chez les hommes de qualité, et le terme est ici presque flatteur; 3. *Honnêtes* : polis.

45 LE CHEVALIER, *à Frontin.* — Faisons un troc, Frontin; cède-moi cette fille-là, et je t'abandonne ma vieille comtesse.

FRONTIN. — Non, monsieur; j'ai les inclinations roturières : je m'en tiens à Lisette, à qui j'ai donné ma foi.

LE CHEVALIER. — Va, tu peux te vanter d'être le plus heureux
50 faquin... *(A Lisette.)* Oui, belle Lisette, vous méritez...

LISETTE, *l'interrompant.* — Trêve de douceurs, monsieur le chevalier. Je vais me présenter à ma maîtresse, qui ne m'a point encore vue; vous pouvez venir, si vous voulez, continuer devant elle la conversation. *(Elle passe dans la chambre de*
55 *la baronne.)* **(12)**

Scène IX. — LE CHEVALIER, FRONTIN.

LE CHEVALIER. — Parlons de choses sérieuses, Frontin. Je n'apporte point à la baronne l'argent de son billet.

FRONTIN. — Tant pis.

LE CHEVALIER. — J'ai été chercher un usurier qui m'a déjà
60 prêté de l'argent; mais il n'est plus à Paris. Des affaires qui lui sont survenues l'ont obligé d'en sortir brusquement[1]; ainsi, je vais te charger du billet.

FRONTIN. — Pourquoi?

LE CHEVALIER. — Ne m'as-tu pas dit que tu connaissais un
65 agent de change qui te donnerait de l'argent à l'heure même?

FRONTIN. — Cela est vrai : mais que direz-vous à madame la baronne? Si vous lui dites que vous avez encore son billet, elle verra bien que nous n'avions pas mis son brillant en gage;

---

1. *Brusquement.* Sans doute a-t-il fait banqueroute et pris le large.

━━━━━ **QUESTIONS** ━━━━━

12. SUR LA SCÈNE VIII. — Les rapports entre le maître et le valet dans cette scène : définissez-les. Montrez ce qu'ils ont de particulier, découvrant tout à la fois le style de vie du Chevalier et la valeur potentielle de son serviteur. En quoi le dénouement se trouve-t-il annoncé pour Frontin, de la sorte?
— La satire sociale et la satire de mœurs dans cette scène.
— Comparez avec Molière : *Dom Juan*, II, II. — Joueriez-vous cette scène comme un badinage léger, ou comme un échange de gaillardises à peine déguisées?
— Le Chevalier s'amuse-t-il ici, ou révèle-t-il qu'il est vraiment coureur?
— Utilité de cette scène?

car, enfin, elle n'ignore pas qu'un homme qui prête ne se
970 dessaisit pas pour rien de son nantissement[1].

LE CHEVALIER. — Tu as raison : aussi suis-je d'avis de lui
dire que j'ai touché l'argent, qu'il est chez moi, et que demain
matin tu le feras apporter ici. Pendant ce temps-là cours chez
ton agent de change, et fais porter au logis l'argent que tu en
975 recevras : je vais t'y attendre aussitôt que j'aurai parlé à la
baronne. *(Il entre dans la chambre de la baronne.)*

SCÈNE X. — FRONTIN, *seul.*

Je ne manque pas d'occupation, Dieu merci! Il faut que
j'aille chez le traiteur; de là chez l'agent de change, de chez
l'agent de change au logis; et puis il faudra que je revienne
980 ici joindre M. Turcaret. Cela s'appelle, ce me semble, une
vie assez agissante... Mais patience! Après quelque temps
de fatigue et de peine, je parviendrai enfin à un état d'aise.
Alors quelle satisfaction! quelle tranquillité d'esprit!... Je
n'aurai plus à mettre en repos que ma conscience[2]. (13) (14)

---

1. *Nantissement :* objet laissé en gage, pour un prêt; 2. En devenant à la fois *homme honnête* (au moins en apparence) et *honnête homme*. Lesage fait ici allusion à La Bruyère (VI, 15; Sosie), qui décrit un valet enrichi malhonnêtement, à qui il ne manque « que d'être homme de bien » : il achève sa carrière comme marguillier de sa paroisse. L'allusion qui termine l'acte II serait donc indirectement anticléricale. On peut penser à la facilité avec laquelle on achetait des charges, même ecclésiastiques. L'argent mène à l'honorabilité dans tous les domaines.

––––––– QUESTIONS –––––––

13. SUR LES SCÈNES IX ET X. — Appréciez le changement de ton du Chevalier, changement de sujet avec la scène précédente. Que peut-on en déduire?

— Comment progressivement voit-on le rôle de Frontin devenir de plus en plus important à l'égard du Chevalier? Rôle de ses conseils; celui de ses bons offices. En quoi cela nous montre-t-il la filière qui permet à des Frontin de devenir ensuite des partisans?

— Utilité du monologue de Frontin à la fin de l'acte. Comparez-le à la dernière réplique de l'acte premier, à la scène VI de cet acte, qui pastiche le Narcisse du *Britannicus* de Racine.

14. SUR L'ENSEMBLE DE L'ACTE II. — Quels événements se produisent au cours de cet acte? Y a-t-il progression, et à quel point de vue? La situation de Turcaret est-elle identique à celle du premier acte?

— La situation de la Baronne; le rôle du Chevalier sur ce plan; celui de Frontin.

— Le personnage de Frontin : étude détaillée, perspectives dramatiques; conséquences.

ACTE III

Scène première. — LA BARONNE, FRONTIN, LISETTE.

985 LA BARONNE. — Eh bien, Frontin! As-tu commandé le souper? Fera-t-on grand[1] chère?

FRONTIN, *à la baronne*. — Je vous en réponds, madame. Demandez à Lisette de quelle manière je régale[2] pour mon compte, et jugez par là de ce que je sais faire lorsque je régale
990 aux dépens des autres.

LISETTE, *à la baronne*. — Il est vrai, madame, vous pouvez vous en fier à lui.

FRONTIN, *à la baronne*. — M. le chevalier m'attend. Je vais lui rendre compte de l'arrangement de son repas; et puis je
995 viendrai ici prendre possession de M. Turcaret, mon nouveau maître. *(Il sort.)* (1)

Scène II. — LA BARONNE, LISETTE.

LISETTE. — Ce garçon-là est un garçon de mérite, madame.

LA BARONNE. — Il me paraît que vous n'en manquez pas, vous, Lisette.

1000 LISETTE. — Il a beaucoup de savoir-faire.

LA BARONNE. — Je ne vous crois pas moins habile.

LISETTE. — Je serais bien heureuse, madame, si mes petits talents pouvaient vous être utiles.

LA BARONNE. — Je suis contente de vous. Mais j'ai un avis
1005 à vous donner : je ne veux pas qu'on me flatte.

---

1. *Grand chère. Grand* est un féminin ancien (à rapprocher de *grand-rue, grand-mère*). *Chère :* tout l'apparat du festin; 2. *Régaler :* littéralement, traiter royalement.

--- QUESTIONS ---

1. SUR LA SCÈNE PREMIÈRE. — Rappelez-vous que le Chevalier s'était fait présenter comme ruiné quelques heures auparavant. Pourquoi la Baronne ne saisit-elle pas ou ne relève-t-elle pas le sous-entendu de Frontin?
— Comment l'action est-elle reliée à l'acte précédent?
— Les marques du comique de cette scène et leur valeur satirique.

LISETTE. — Je suis ennemie de la flatterie.

LA BARONNE. — Surtout, quand je vous consulterai sur des choses qui me regarderont, soyez sincère.

LISETTE. — Je n'y manquerai pas.

1010 LA BARONNE. — Je vous trouve pourtant trop de complaisance.

LISETTE. — À moi, madame?

LA BARONNE. — Oui; vous ne combattez pas assez les sentiments que j'ai pour le chevalier.

1015 LISETTE. — Eh! pourquoi les combattre? Ils sont si raisonnables!

LA BARONNE. — J'avoue que le chevalier me paraît digne de toute ma tendresse.

LISETTE. — J'en fais le même jugement.

1020 LA BARONNE. — Il a pour moi une passion véritable et constante[1].

LISETTE. — Un chevalier fidèle et sincère! On n'en voit guère comme cela.

LA BARONNE. — Aujourd'hui même encore! il m'a sacrifié 1025 une comtesse.

LISETTE. — Une comtesse!

LA BARONNE. — Elle n'est pas, à la vérité, dans la première jeunesse.

LISETTE. — C'est ce qui rend le sacrifice plus beau. Je connais 1030 messieurs les chevaliers : une vieille dame leur coûte plus qu'une autre à sacrifier.

LA BARONNE. — Il vient de me rendre compte d'un billet que je lui ai confié. Que je lui trouve de bonne foi!

LISETTE. — Cela est admirable.

1035 LA BARONNE. — Il a une probité[2] qui va jusqu'au scrupule.

LISETTE. — Mais, mais, voilà un chevalier unique en son espèce!

---

1. *Constante* : ici, au sens actuel, qui tient ferme, sans relâchement; 2. *Probité* : honnêteté en matière financière ou commerciale.

Dominique Paturel (FRONTIN) et Rosy Varte (LISETTE)
au T. N. P., en 1960.

LA BARONNE. — Taisons-nous, j'aperçois M. Turcaret. (2)

SCÈNE III. — M. TURCARET, LA BARONNE, LISETTE.

M. TURCARET, *à la baronne.* — Je viens, madame... *(Aper-*
1040 *cevant Lisette.)* Oh, oh! vous avez une nouvelle femme de chambre?

LA BARONNE. — Oui, monsieur. Que vous semble de celle-ci?

M. TURCARET, *examinant Lisette.* — Ce qu'il m'en semble?
Elle me revient assez; il faudra que nous fassions connaissance.

1045 LISETTE. — La connaissance sera bientôt faite, Monsieur.

LA BARONNE. — Vous savez qu'on soupe ici? Donnez ordre
que nous ayons un couvert propre¹ et que l'appartement soit
bien éclairé. *(Lisette sort.)*

M. TURCARET. — Je crois cette fille-là fort raisonnable.

1050 LA BARONNE. — Elle est fort dans vos intérêts, du moins.

M. TURCARET. — Je lui en sais bon gré... Je viens, madame,
de vous acheter pour dix mille francs de glace, de porcelaines
et de bureaux². Ils sont d'un goût exquis : je les ai choisis
moi-même.

1055 LA BARONNE. — Vous êtes universel, monsieur; vous vous
connaissez à tout.

M. TURCARET. — Oui, grâces au ciel; et surtout en bâti-

---

1. *Propre* (sens classique) : adapté à l'usage souhaité, d'où : élégant; 2. *Bureaux*
désigne diverses tables à tiroirs ou à tablettes.

─────── **QUESTIONS** ───────

2. SUR LA SCÈNE II. — Comparez Lisette et la Baronne avec Marine
dans la même situation (I, ɪ). La différence tient-elle seulement aux atta-
chements de Lisette aux intérêts du Chevalier et de Frontin?

— Relevez tous les passages où il est question de sincérité, de probité,
de fidélité, de bonne foi... Pourquoi est-on à l'affût de telles qualités, dans
ce milieu? Comment la Baronne peut-elle se faire ces illusions? Ne saisit-
elle pas l'ironie de Lisette?

— Au sujet de l'âge de la Comtesse, voyez lignes 1027 et suivantes.
La Baronne aurait donc perdu ses illusions à ce sujet? Comment peut-
elle accepter si facilement le commentaire de Lisette (lignes 1029 et suivantes), qui, en outre, doit contenir une ironie : mettez en relief le double
sens de *coûte.*

ments[1]. Vous verrez, vous verrez l'hôtel que je vais faire bâtir.

LA BARONNE. — Quoi! vous allez faire bâtir un hôtel.

1060   M. TURCARET. — J'ai déjà acheté la place, qui contient quatre arpents, six perches, neuf toises, trois pieds et onze pouces[2]. N'est-ce pas là une belle étendue?

LA BARONNE. — Fort belle.

M. TURCARET. — Le logis sera magnifique. Je ne veux pas
1065 qu'il y manque un zéro; je le ferais plutôt abattre deux ou trois fois.

LA BARONNE. — Je n'en doute pas.

M. TURCARET. — Malepeste! je n'ai garde de faire quelque chose de commun; je me ferais siffler[3] de tous les gens d'affaires.

1070   LA BARONNE. — Assurément.

M. TURCARET, *voyant entrer le marquis*. — Quel homme entre ici?

LA BARONNE, *bas*. — C'est ce jeune marquis dont je vous ai dit que Marine avait épousé les intérêts. Je me passerais bien
1075 de ses visites, elles ne me font aucun plaisir. (3)

Scène IV. — LE MARQUIS, M. TURCARET,
LA BARONNE.

LE MARQUIS, *à part*. — Je parie que je ne trouverai point encore ici le chevalier.

M. TURCARET, *à part*. — Ah! morbleu! c'est le marquis de la Thibaudière... La fâcheuse rencontre!

---

1. *Bâtiments.* Une des ambitions des nouveaux riches était de bâtir des hôtels particuliers. Voyez La Bruyère, VI, 78, Zénobie, et le portrait de Cléomine par Mlle de Scudéry; 2. Au total, environ 6 000 m²; 3. *Siffler :* au XVIIe siècle, persifler, moquer. Mais dans le texte le sens a plus de précision, car depuis peu on a introduit l'usage des sifflets au théâtre. Nos personnages, ici, jouent, pour le monde qui leur sert de public, la comédie de la distinction.

--- QUESTIONS ---

3. SUR LA SCÈNE III. — Notez les nouveaux traits de la personnalité de Turcaret : quelle est, sur ce chapitre, l'utilité de la présence momentanée de Lisette. Comment la Baronne prend-elle cet épisode qu'elle a elle-même provoqué? Qu'apprenons-nous ainsi?
— La peinture du partisan typique à travers les projets qu'annonce Turcaret ici.

1080 LE MARQUIS, *à part.* — Il y a près de deux jours que je le cherche. *(Apercevant M. Turcaret.)* Eh! que vois-je?... Oui... non... pardonnez-moi... justement... c'est lui-même, M. Turcaret. *(A la baronne.)* Que faites-vous de cet homme-là, madame? Vous le connaissez? Vous empruntez sur gages?
1085 Palsambleu! il vous ruinera.

LA BARONNE. — Monsieur le marquis...

LE MARQUIS, *l'interrompant.* — Il vous pillera, il vous écorchera; je vous en avertis. C'est l'usurier le plus juif[1] : il vend son argent au poids de l'or.

1090 M. TURCARET, *à part.* — J'aurais mieux fait de m'en aller.

LA BARONNE, *au marquis.* — Vous vous méprenez, monsieur le marquis; M. Turcaret passe dans le monde pour un homme de bien et d'honneur.

LE MARQUIS. — Aussi l'est-il madame, aussi l'est-il[2]. Il aime
1095 le bien des hommes et l'honneur des femmes. Il a cette réputation-là.

M. TURCARET. — Vous aimez à plaisanter, monsieur le marquis... *(A la baronne.)* Il est badin, madame, il est badin. Ne le connaissez-vous pas sur ce pied-là[3]?

1100 LA BARONNE. — Oui, je comprends bien qu'il badine, ou qu'il est mal informé.

LE MARQUIS. — Mal informé! Morbleu! madame, personne ne saurait vous en parler mieux que moi : il a de mes nippes[4] actuellement.

1105 M. TURCARET. — De vos nippes, monsieur? Oh! je ferais bien serment du contraire.

---

1. *Juif :* synonyme populaire de « rapace et sans scrupule, demandant d'énormes intérêts »; 2. *Aussi l'est-il :* et il l'est en réalité (reste du vieux mot *si* [latin *sic*], qui signifiait, au Moyen Age : en vérité, ainsi, pourtant, en fait..., et s'employait en tête d'expressions à sujet inversé : « si fais-je », etc.); 3. *Pied :* sous cet aspect, sous ce jour. L'origine en est le *pied* comme unité de longueur, d'où : mesure fondamentale, critère, caractère. Exemple : « Vivre sur un grand pied », etc.; 4. *Nippes.* Le mot paraîtrait bien péjoratif de nos jours pour des objets mis en gage et comportant un gros diamant. Le mot était normal pour dire « des vêtements, du linge ». Le Marquis se désinvolte et feint de ne jours ne plus se rappeler exactement ce qu'il a dû engager chez l'usurier. Le commerce d'occasion était fréquent (nous en aurons deux autres exemples), même pour le matériel de luxe.

LE MARQUIS. — Ah! parbleu! vous avez raison. Le diamant est à vous à l'heure qu'il est, selon nos conventions; j'ai laissé passer le terme.

10 LA BARONNE. — Expliquez-moi tous deux cette énigme.

M. TURCARET. — Il n'y a point d'énigme là-dedans, madame. Je ne sais ce que c'est.

LE MARQUIS, *à la baronne.* — Il a raison, cela est fort clair. Il n'y a point d'énigme. J'eus besoin d'argent il y a quinze 15 mois. J'avais un brillant de cinq cents louis; on m'adressa à M. Turcaret. M. Turcaret me renvoya à un de ses commis, à un certain M. Ra... Ra... Rafle. C'est celui qui tient son bureau d'usure. Cet honnête M. Rafle me prêta sur ma bague onze cent trente-deux livres six sols huit deniers[1]. Il me pres-20 crivit un temps pour la retirer. Je ne suis pas fort exact, moi : le temps est passé : mon diamant est perdu.

M. TURCARET. — Monsieur le marquis, monsieur le marquis, ne me confondez point avec M. Rafle, je vous prie. C'est un fripon que j'ai chassé de chez moi. S'il a fait quelque mauvaise 25 manœuvre, vous avez la voie de la justice. Je ne sais ce que c'est que votre brillant; je ne l'ai jamais vu ni manié.

LE MARQUIS. — Il me venait de ma tante; c'était un des plus beaux brillants; il était d'une netteté, d'une forme, d'une gros-seur à peu près comme... *(Regardant le diamant de la baronne.)* 30 Eh! le voilà, madame? Vous vous en êtes accommodée avec M. Turcaret, apparemment?

LA BARONNE, *au marquis.* — Autre méprise, monsieur. Je l'ai acheté, assez cher même, d'une revendeuse à la toilette[2].

LE MARQUIS. — Cela vient de lui, madame. Il a des reven-35 deuses à sa disposition, et, à ce qu'on dit, même dans sa famille.

M. TURCARET. — Monsieur, monsieur!

LA BARONNE, *au marquis.* — Vous êtes insultant, monsieur le marquis.

LE MARQUIS. — Non, madame, mon dessein n'est pas d'in-40 sulter : je suis trop serviteur[3] de M. Turcaret, quoiqu'il me

---

1. Donc il a prêté 1 132 livres pour un diamant qui en valait 8 250; 2. Marchande de dentelles, parures ou bijoux d'occasion. Les allusions du Marquis préparent l'arrivée de Mme Jacob; 3. *Serviteur :* respectueusement à la disposition de... (A rap-procher de la formule classique qui terminait les lettres : « Je suis votre très obéissant serviteur. ») Le jeu de mots apparaît deux lignes plus loin : *il était laquais de mon grand-père.*

traite durement. Nous avons eu autrefois ensemble un petit commerce[1] d'amitié. Il était laquais de mon grand-père; il me portait sur ses bras. Nous jouions tous les jours ensemble; nous ne nous quittions presque point. Le petit[2] ingrat ne s'en
1145 souvient plus.

M. TURCARET. — Je me souviens... je me souviens... Le passé est passé; je ne songe qu'au présent.

LA BARONNE, *au marquis*. — De grâce, monsieur le marquis, changeons de discours. Vous cherchez M. le chevalier?

1150 LE MARQUIS. — Je le cherche partout, madame, aux spectacles, au cabaret[3], au bal, au lansquenet; je ne le trouve nulle part. Ce coquin se débauche; il devient libertin[4].

LA BARONNE. — Je lui en ferai des reproches.

LE MARQUIS. — Je vous en prie... Pour moi, je ne change
1155 point; je mène une vie réglée; je suis toujours à table; et l'on me fait crédit chez Fite et chez La Morlière, parce que l'on sait que je dois bientôt hériter d'une vieille tante, et qu'on me voit une disposition plus que prochaine à manger sa succession.

LA BARONNE. — Vous n'êtes pas une mauvaise pratique pour
1160 les traiteurs.

LE MARQUIS. — Non, madame, ni pour les traitants, n'est-ce pas, monsieur Turcaret? Ma tante veut pourtant que je me corrige : et, pour lui faire accroire qu'il y a déjà du changement dans ma conduite, je vais la voir dans l'état où je suis.
1165 Elle sera tout étonnée de me trouver si raisonnable; car elle m'a presque toujours vu ivre.

LA BARONNE. — Effectivement, monsieur le marquis, c'est une nouveauté que de vous voir autrement. Vous avez fait aujourd'hui un excès de sobriété.

---

1. *Commerce.* Le sens classique était : relation, de quelque sorte que ce soit. Mais il y a aussi le sens financier! Le mot *amitié* vient ici rappeler que « M. Turcaret ne croit pas, lui, qu'il soit permis d'avoir des amis » (I, 1); 2. *Petit.* Cette condescendance amusée permet au Marquis de mieux faire sentir le mépris où un noble peut tenir un roturier, même lorsqu'il a des services à lui demander; 3. *Cabaret :* établissement populaire ou café élégant, n'importe. Même indifférence chez les nobles en matière de spectacles, de bals, de salles de jeu...; 4. *Libertin.* Pour Pascal, c'est un athée; mais les beaux esprits libertins de Pascal aimaient déjà le jeu (voir « le Pari »). Les mœurs évoluent; *libertin,* en 1709, indique un mélange de « liberté » dans les propos, les idées et les manières.

LE MARQUIS. — J'ai soupé hier avec trois des plus jolies femmes[1] de Paris. Nous avons bu jusqu'au jour; et j'ai été faire un petit somme chez moi afin de pouvoir me présenter à jeun chez ma tante.

LA BARONNE. — Vous avez bien de la prudence.

LE MARQUIS. — Adieu, ma tout aimable! Dites au chevalier qu'il se rende un peu à ses amis. Prêtez-le-nous quelquefois; ou je viendrai si souvent ici que je l'y trouverai. Adieu, monsieur Turcaret. Je n'ai point de rancune au moins. *(Lui présentant la main.)* Touchez-là[2]; renouvelons notre ancienne amitié. Mais dites un peu à votre âme damnée, à ce M. Rafle, qu'il me traite plus humainement la première fois que j'aurai besoin de lui. *(Il sort.)* (4)

Scène V. — M. TURCARET, LA BARONNE.

M. TURCARET. — Voilà une connaissance, madame; c'est le plus grand fou, et le plus grand menteur que je connaisse.

LA BARONNE. — C'est en dire beaucoup[3].

---

1. Il peut s'agir de femmes faciles, de jolies filles...; on ne regarde plus au rang. C'est une manière de tenir compte uniquement des qualités individuelles (du « mérite » et non du « rang »), comme on le réclame de plus en plus au XVIIIᵉ siècle; 2. *Touchez-là* : serrez-moi la main; 3. *Beaucoup :* beaucoup trop (car ces superlatifs conviendraient à bien d'autres).

--- **QUESTIONS** ---

4. SUR LA SCÈNE IV. — Le ton de Turcaret. Pourquoi ses perpétuelles répétitions? Relevez les moments où il essaie de prendre l'air dégagé. A quoi cela correspond-il?

— La Baronne : que pensez-vous de ses protestations? Comment l'imaginez-vous pendant toute cette scène? Imaginez ses sentiments.

— Le Marquis : — notez tout ce qu'il nous révèle sur son genre de vie. Voilà un portrait express très réussi dans le style du *Diable boiteux*. Analysez sa désinvolture : cherchez ce qui reste d'une trace de la supériorité de l'aristocrate et ce qui est fait de vengeance personnelle.

— Pensez-vous qu'on doive jouer ce rôle de « gaffeur » en le rendant pesant, insistant, ou que le Marquis soit un amuseur qui détend l'atmosphère?

— Son langage, sa désinvolture, ses calembours. Lui donnez-vous un ton méprisant, supérieur? Voyez combien la qualité des jeux de mots a monté par rapport aux autres scènes. (Pour que Lesage ait de l'esprit, il n'a qu'à décrire et faire parler des gens d'esprit!)

— Utilité théâtrale du Marquis? de cette scène?

— En quoi cette scène est-elle une des plus intéressantes à travailler pour la représentation?

M. TURCARET. — Que j'ai souffert pendant cet entretien !

LA BARONNE. — Je m'en suis aperçue.

M. TURCARET. — Je n'aime point les malhonnêtes[1] gens.

LA BARONNE. — Vous avez bien raison.

1190 M. TURCARET. — J'ai été si surpris d'entendre les choses qu'il a dites, que je n'ai pas eu la force de répondre. Ne l'avez-vous pas remarqué ?

LA BARONNE. — Vous en avez usé sagement : j'ai admiré votre modération.

1195 M. TURCARET. — Moi, usurier ! Quelle calomnie !

LA BARONNE. — Cela regarde plus M. Rafle que vous.

M. TURCARET. — Vouloir faire aux gens un crime de leur prêter sur gages !... Il vaut mieux prêter sur gages que prêter sur rien.

1200 LA BARONNE. — Assurément.

M. TURCARET. — Me venir dire au nez que j'ai été laquais de son grand-père ! Rien n'est plus faux : je n'ai jamais été que son homme d'affaires[2].

LA BARONNE. — Quand cela serait vrai : le beau reproche ! 1205 Il y a si longtemps !... Cela est prescrit[3].

M. TURCARET. — Oui, sans doute.

LA BARONNE. — Ces sortes de mauvais contes ne font aucune impression sur mon esprit ; vous êtes trop bien établi dans mon cœur.

1210 M. TURCARET. — C'est trop de grâce que vous me faites.

LA BARONNE. — Vous êtes un homme de mérite.

M. TURCARET. — Vous vous moquez.

LA BARONNE. — Un vrai homme d'honneur.

M. TURCARET. — Oh ! point du tout.

---

1. *Malhonnête*. Turcaret entend le contraire d'*honnête homme* ; les spectateurs, le contraire d'*homme honnête* ; 2. *Homme d'affaires* : intendant. Un laquais devenait facilement intendant chez un noble ; toute la pièce nous montre l'extension du rôle des domestiques à cette époque ; 3. Terme juridique. Il y a prescription, la dette est annulée après un certain délai.

LA BARONNE. — Et vous avez trop l'air et les manières d'une personne de condition, pour pouvoir être soupçonné de ne l'être pas. **(5)**

Scène VI. — FLAMAND, M. TURCARET, LA BARONNE.

FLAMAND, *à M. Turcaret.* — Monsieur!...

M. TURCARET. — Que me veux-tu?

FLAMAND. — Il est là-bas qui vous demande.

M. TURCARET. — Qui, butor?

FLAMAND. — Ce monsieur que vous savez... là, ce monsieur... monsieur... chose...

M. TURCARET. — Monsieur chose!

FLAMAND. — Eh oui! ce commis que vous aimez tant. Dès qu'il vient pour deviser avec vous, tout aussitôt vous faites sortir tout le monde, et ne voulez pas que personne vous écoute.

M. TURCARET. — C'est monsieur Rafle, apparemment?

FLAMAND. — Oui, tout fin dret[1], monsieur, c'est lui-même.

M. TURCARET. — Je vais le trouver; qu'il m'attende!

LA BARONNE. — Ne disiez-vous pas que vous l'aviez chassé?

M. TURCARET. — Oui, c'est pour cela qu'il vient ici. Il cherche à se raccommoder. Dans le fond, c'est un assez bon homme, homme de confiance. Je vais savoir ce qu'il me veut.

LA BARONNE. — Eh! non, non... *(A Flamand.)* Faites-le monter, Flamand. *(Flamand sort.)*

---

1. C'est tout à fait cela. Flamand a un langage populaire et même dialectal.

──────── **QUESTIONS** ────────

5. SUR LA SCÈNE V. — Montrez que, ici, dans une certaine mesure on est à la hauteur de Molière. Étudiez comment la Baronne écrase Turcaret de ridicule sans qu'il s'en doute.

— L'insistance qu'il met à se ridiculiser en voulant se disculper vous paraît-elle vraisemblable? Quelles raisons voyez-vous à pareille splendeur dans la bêtise, du moins devant la Baronne? Quelle part de responsabilité peuvent avoir sur ce point la beauté probable de la Baronne, l'attachement que lui voue Turcaret pour cette raison?

— Analysez les réactions de Turcaret : comment tente-t-il de reprendre le dessus? à quels arguments fait-il appel? Comment se trahit-il encore? L'effet d'insistance ainsi obtenu.

LA BARONNE. — Monsieur, vous lui parlerez dans cette salle. N'êtes-vous pas ici chez vous?

M. TURCARET. — Vous êtes bien honnête[1], madame.

1240 LA BARONNE. — Je ne veux point troubler votre conversation; je vous laisse... N'oubliez pas la prière que je vous ai faite en faveur de Flamand.

M. TURCARET. — Mes ordres sont déjà donnés pour cela; vous serez contente. *(La baronne rentre dans sa chambre.)* **(6)**

SCÈNE VII. — M. TURCARET, M. RAFLE.

1245 M. TURCARET. — De quoi est-il question, monsieur Rafle? Pourquoi me venir chercher jusqu'ici? Ne savez-vous pas bien que, quand on vient chez les dames, ce n'est pas pour y entendre parler d'affaires?

M. RAFLE. — L'importance de celles que j'ai à vous communiquer
1250 niquer doit me servir d'excuse.

M. TURCARET. — Qu'est-ce que c'est donc que ces choses d'importance?

M. RAFLE. — Peut-on parler ici librement?

M. TURCARET. — Oui, vous le pouvez; je suis le maître. Parlez.

1255 M. RAFLE, *tirant des papiers de sa poche et regardant dans un bordereau[2].* — Premièrement, cet enfant de famille à qui nous prêtâmes l'année passée trois mille livres, et à qui je fis faire un billet de neuf[3] par votre ordre, se voyant sur le point

---

1. *Honnête :* aimable, polie (voir page 64, ligne 940). Ce n'est pas un hasard si cet adjectif à triple sens revient si souvent dans la pièce. L'évolution du sens de ce mot a suivi celle des mœurs; on est passé d'une valeur très forte (liée à celle du nom *honneur*) à l'idée de « conforme à un idéal bienséant »; puis le sens s'est rétréci à mesure que l'honorabilité devenait façade et que le code de l'honneur se réduisait à payer ses dettes. Que le mot ait tous ces sens selon les passages de notre texte, cela prouve que nous sommes à une époque de fluctuations morales; 2. *Bordereau :* grand papier récapitulatif; 3. *Neuf* mille, bien sûr. Inscrire sur une reconnaissance de dette le triple de la somme prêtée, voilà une jolie façon d'être usurier sans tomber sous le coup de la loi.

QUESTIONS

6. SUR LA SCÈNE VI. — Utilité de cette interruption : au point de vue psychologique, par rapport à la scène précédente; au point de vue dramatique, en fonction du contenu menaçant de la scène suivante. La situation de Turcaret évolue-t-elle?
— Le comique de cette scène par rapport au reste de la pièce.

d'être inquiété pour le paiement, a déclaré la chose à son oncle le président[1], qui, de concert avec toute la famille, travaille actuellement à vous perdre.

M. TURCARET. — Peine perdue que ce travail-là... Laissons-les venir; je ne prends pas facilement l'épouvante.

M. RAFLE, *après avoir regardé dans son bordereau.* — Ce caissier que vous avez cautionné, et qui vient de faire banqueroute de deux cent mille écus[2]...

M. TURCARET, *l'interrompant.* — C'est par mon ordre qu'il... Je sais où il est.

M. RAFLE. — Mais les procédures se font contre vous. L'affaire est sérieuse et pressante.

M. TURCARET. — On l'accommodera[3]. J'ai pris mes mesures : cela sera réglé demain.

M. RAFLE. — J'ai peur que ce ne soit trop tard.

M. TURCARET. — Vous êtes trop timide[4]... Avez-vous passé chez ce jeune homme de la rue Quincampoix[5], à qui j'ai fait avoir une caisse?

M. RAFLE. — Oui, monsieur. Il veut bien vous prêter vingt mille francs des premiers deniers qu'il touchera, à condition qu'il fera valoir à son profit ce qui pourra lui rester à la Compagnie, et que vous prendrez son parti, si l'on vient à s'apercevoir de la manœuvre.

M. TURCARET. — Cela est dans les règles; il n'y a rien de plus juste : voilà un garçon raisonnable. Vous lui direz, monsieur Rafle, que je le protégerai dans toutes ses affaires. Y a-t-il encore quelque chose?

M. RAFLE, *après avoir encore regardé dans le bordereau.* — Ce grand homme sec, qui vous donna, il y a deux mois, deux mille francs pour une direction[6] que vous lui avez fait avoir à Valognes[7].

---

1. *Président :* fonction politique ou juridique, et non pas administrative comme aujourd'hui; 2. Selon nos estimations, 200 000 écus valent 1 800 000 F de 1966, soit 180 millions anciens. On voit par là que les menaces qui pèsent sur Turcaret sont considérables. (Voyez la réplique ligne 1269); 3. *Accommoder :* arranger; 4. *Timide :* ici, peureux; 5. *Rue Quincampoix.* Rue au centre du quartier des Halles et qui est parallèle à la rue Saint-Martin. Les marchands d'orfèvrerie y étaient nombreux. En 1716, Law y établit sa banque; 6. *Une direction,* voir page 57, ligne 757 et la note; 7. *Valognes.* Nous verrons que Mme Turcaret habite Valognes (V, VII).

1290   M. TURCARET, *l'interrompant*. — Eh bien!

M. RAFLE. — Il lui est arrivé un malheur.

M. TURCARET. — Quoi?

M. RAFLE. — On a surpris sa bonne foi; on lui a volé quinze mille francs... Dans le fond, il est trop bon.

1295   M. TURCARET. — Trop bon, trop bon! Eh! pourquoi diable s'est-il donc mis dans les affaires? Trop bon, trop bon!

M. RAFLE. — Il m'a écrit une lettre fort touchante, par laquelle il vous prie d'avoir pitié pour lui.

M. TURCARET. — Papier perdu, lettre inutile.

1300   M. RAFLE. — Et de faire en sorte qu'il ne soit point révoqué.

M. TURCARET. — Je ferai plutôt en sorte qu'il le soit : l'emploi me reviendra; je le donnerai à un autre pour le même prix.

M. RAFLE. — C'est ce que j'ai pensé comme vous.

M. TURCARET. — J'agirais contre mes intérêts; je mériterais 1305 d'être cassé à la tête de la Compagnie.

M. RAFLE. — Je ne suis pas plus sensible que vous aux plaintes des sots... Je lui ai déjà fait réponse, et lui ai mandé tout net qu'il ne devait point compter sur vous.

M. TURCARET. — Non, parbleu!

1310   M. RAFLE, *regardant encore dans son bordereau*. — Voulez-vous prendre, au denier quatorze[1], cinq mille francs qu'un honnête serrurier de ma connaissance a amassés par son travail et par ses épargnes?

M. TURCARET. — Oui, oui, cela est bon : je lui ferai ce plaisir-là. 1315 Allez me le chercher; je serai au logis dans un quart d'heure. Qu'il apporte l'espèce[2]. Allez, allez.

M. RAFLE, *faisant quelques pas pour sortir, et revenant*. — J'oubliais la principale affaire : je ne l'ai pas mise sur mon agenda.

1320   M. TURCARET. — Qu'est-ce que c'est que cette principale affaire?

---

1. Le *denier* ne désigne pas ici une pièce de monnaie, mais un revenu, un profit. Turcaret emprunte de l'argent (assez peu, il est vrai; la valeur du diamant de la Baronne, tout au plus!) à un taux élevé : 7,6 % (le taux légal, « denier vingt », étant de 5 %), sans doute par besoin, ses affaires allant mal; 2. L'*espèce* : la monnaie (or ou argent). Nous disons : *payer en espèces*, par différence avec *payer par chèque* ou *par mandat*.

M. RAFLE. — Une nouvelle qui vous surprendra fort. Mme Turcaret est à Paris.

M. TURCARET, *à demi-voix*. — Parlez bas, monsieur Rafle,
325 parlez bas.

M. RAFLE, *à demi-voix*. — Je la rencontrai hier dans un fiacre
avec une manière[1] de jeune seigneur dont le visage ne m'est
pas tout à fait inconnu, et que je viens de trouver dans cette
rue-ci en arrivant.

330 M. TURCARET, *à demi-voix*. — Vous ne lui parlâtes point?

M. RAFLE, *à demi-voix*. — Non, mais elle m'a fait prier ce
matin de ne vous en rien dire, et de vous faire souvenir seulement qu'il lui est dû quinze mois de la pension de quatre mille
livres que vous lui donnez pour la tenir en province : elle ne
335 s'en retournera point qu'elle ne soit payée[2].

M. TURCARET, *à demi-voix*. — Oh! ventrebleu! monsieur Rafle,
qu'elle le soit. Défaisons-nous promptement de cette créature-là.
Vous lui porterez dès aujourd'hui les cinq cents pistoles du
serrurier; mais qu'elle parte dès demain.

340 M. RAFLE, *à demi-voix*. — Oh! elle ne demandera pas mieux.
Je vais chercher le bourgeois[3], et le mener chez vous.

M. TURCARET, *à demi-voix*. — Vous m'y trouverez. *(M. Rafle
sort.)* (7)

---

1. *Manière*. Nous dirions une *espèce* ; 2. A moins d'être payée, avant d'être payée
(tournure classique); 3. *Le bourgeois* : le bonhomme.

QUESTIONS

---

7. Sur la scène VII. — Au début de la scène, Turcaret est-il sincère
dans sa sèche remarque à M. Rafle?
— Étudiez la présentation de Turcaret homme d'affaires : son assurance, son changement de ton brutal, son esprit de décision, sa dureté...
— La morale de ce monde-là : relevez-en les détails les plus caractéris-
tiques. Quel jugement moral pouvez-vous formuler sur ce point? —
Précisez la nature du monde, des événements qui se profilent, en arrière-
plan.
— Toute la vie d'affaires — qui appelait sans cesse Turcaret hors de
chez la Baronne — est ici concentrée, et aussi toute l'intrigue, ou du
moins les menaces essentielles qui préparent la catastrophe. Comment
feriez-vous, à la scène, pour souligner l'importance de ce « tableau »?
— Étude psychologique : M. Rafle. Ajoutez à son comportement ici
ce qui a été dit de lui dans les scènes précédentes.

Scène VIII. — M. TURCARET.

Malepeste! ce serait une sotte aventure, si Mme Turcaret
1345 s'avisait de venir en cette maison : elle me perdrait dans l'esprit
de ma baronne, à qui j'ai fait accroire que j'étais veuf.

Scène IX. — M. TURCARET, LISETTE.

LISETTE. — Madame m'a envoyée savoir, monsieur, si vous
étiez encore ici en affaire.

M. TURCARET. — Je n'en avais point, mon enfant. Ce sont
1350 des bagatelles dont de pauvres diables de commis s'embar-
rassent la tête, parce qu'ils ne sont pas faits pour les grandes
choses. (8)

Scène X. — M. TURCARET, LISETTE, FRONTIN.

FRONTIN, *à M. Turcaret.* — Je suis ravi, monsieur, de vous
trouver en conversation avec cette aimable personne. Quelque
1355 intérêt que j'y prenne, je me garderai bien de troubler un si
doux entretien.

M. TURCARET. — Tu ne seras point de trop. Approche,
Frontin, je te regarde comme un homme tout à moi, et je veux
que tu m'aides à gagner l'amitié de cette fille-là.

1360 LISETTE. — Ce ne sera pas bien difficile.

FRONTIN, *à M. Turcaret.* — Oh! pour cela, non. Je ne sais
pas, monsieur, sous quelle heureuse étoile vous êtes né! Mais
tout le monde a naturellement un grand faible pour vous.

M. TURCARET. — Cela ne vient point de l'étoile; cela vient
1365 des manières.

LISETTE. — Vous les avez si belles, si prévenantes[1]!

M. TURCARET. — Comment le sais-tu?

────────────

1. *Prévenant :* qui dispose, qui prévient en votre faveur.

──────── **QUESTIONS** ────────

8. SUR LES SCÈNES VIII ET IX. — Est-ce la première fois qu'une menace
pèse sur Turcaret? Comment réagit-il? Quelle est celle qui l'inquiète le
plus? Est-ce inconscience de sa part, incapacité professionnelle, aveuglement?
— N'y a-t-il pas, du point de vue dramatique, une certaine maladresse
dans la scène VIII?

Monique Saintey
(LISETTE)
et Jean-Pierre
Moutier
(FRONTIN)
au théâtre du
Vieux-Colombier,
en 1967.

Phot. Bernand.

LISETTE. — Depuis le temps que je suis ici, je n'entends dire autre chose à madame la baronne.

1370 M. TURCARET. — Tout de bon?

FRONTIN. — Cette femme-là ne saurait cacher sa faiblesse[1] : elle vous aime si tendrement! Demandez, demandez à Lisette.

LISETTE. — Oh! c'est vous qu'il faut en croire, monsieur Frontin.

1375 FRONTIN. — Non, je ne comprends pas moi-même tout ce que je sais là-dessus; et ce qui m'étonne davantage, c'est l'excès[2] où cette passion est parvenue, sans pourtant que monsieur Turcaret se soit donné beaucoup de peine pour chercher à la mériter.

1380 M. TURCARET. — Comment, comment l'entends-tu[3]?

FRONTIN. — Je vous ai vu vingt fois, monsieur, manquer d'attention pour certaines choses...

M. TURCARET, *l'interrompant*. — Oh! parbleu! je n'ai rien, rien à me reprocher là-dessus.

1385 LISETTE. — Oh! non : je suis sûre que monsieur n'est pas homme à laisser échapper la moindre occasion de faire plaisir aux personnes qu'il aime. Ce n'est que par là qu'on mérite d'être aimé.

FRONTIN, *à M. Turcaret*. — Cependant, monsieur ne le mérite
1390 pas autant que je le voudrais.

M. TURCARET. — Explique-toi donc.

FRONTIN. — Oui : mais ne trouverez-vous point mauvais qu'en serviteur fidèle et sincère je prenne la liberté de vous parler à cœur ouvert?

1395 M. TURCARET. — Parle.

FRONTIN. — Vous ne répondez pas assez à l'amour que madame la baronne a pour vous.

M. TURCARET. — Je n'y réponds pas?

---

1. *Faiblesse* : passion. C'est un terme galant beaucoup plus fort que notre expression actuelle *avoir un faible pour quelqu'un*; 2. *Excès* : voir page 34, ligne 221 et la note; 3. *Comment l'entends-tu?* : que veux-tu dire? Cette expression s'employait souvent avec quelque colère, lorsqu'on feignait de n'avoir pas bien compris le propos gênant ou agressif de l'interlocuteur.

FRONTIN. — Non, monsieur... Je t'en fais juge, Lisette.
1400 *(A Lisette.)* Monsieur, avec tout son esprit, fait des fautes d'attention.

M. TURCARET. — Qu'appelles-tu donc des fautes d'attention?

FRONTIN. — Un certain oubli, certaine négligence...

M. TURCARET. — Mais encore?

1405 FRONTIN. — Mais, par exemple, n'est-ce pas une chose honteuse que vous n'ayez pas encore songé à lui faire présent d'un équipage[1]?

LISETTE, *à M. Turcaret.* — Ah! pour cela, monsieur, il a raison.

1410 M. TURCARET. — A quoi bon un équipage? N'a-t-elle pas le mien, dont elle dispose quand il lui plaît?

FRONTIN. — Oh! monsieur, avoir un carrosse à soi, ou être obligé d'emprunter ceux de ses amis, cela est bien différent.

LISETTE, *à M. Turcaret.* — Vous êtes trop dans le monde[2]
1415 pour ne pas le connaître; la plupart des femmes sont plus sensibles à la vanité d'avoir un équipage qu'au plaisir même de s'en servir.

M. TURCARET. — Oui, je comprends cela.

FRONTIN. — Cette fille-là, monsieur, est de fort bon sens;
1420 elle ne parle pas mal, au moins.

M. TURCARET. — Je ne te trouve pas si sot, non plus, que je t'ai cru d'abord, toi, Frontin.

FRONTIN. — Depuis que j'ai l'honneur d'être à votre service, je sens de moment en moment que l'esprit me vient. Oh! je
1425 prévois que je profiterai[3] beaucoup avec vous.

M. TURCARET. — Il ne tiendra qu'à toi.

FRONTIN. — Je vous proteste[4], monsieur, que je ne manque pas de bonne volonté. Je donnerais donc à madame la baronne un bon grand carrosse, bien étoffé[5].

1430 M. TURCARET. — Elle en aura un. Vos réflexions sont justes : elles me déterminent[6].

---

1. *Equipage* : l'ensemble de l'équipage, laquais, carrosse, chevaux; 2. *Dans le monde*. La locution usuelle est plutôt *être du monde* : avoir l'usage de la bonne société; 3. *Profiterai* a un double sens ici : « Je m'améliorerai » et « J'en ferai mon profit », « j'augmenterai mes profits »; 4. *Proteste* : affirmer vigoureusement; 5. *Etoffé* : capitonné; 6. *Déterminer* : décider définitivement.

FRONTIN. — Je savais bien que ce n'était qu'une faute d'attention.

M. TURCARET. — Sans doute[1]; et, pour marque de cela, je 1435 vais de ce pas commander un carrosse.

FRONTIN. — Fi donc, monsieur! Il ne faut pas que vous paraissiez là-dedans, vous! il ne serait pas honnête que l'on sût dans le monde que vous donnez un carrosse à madame la baronne. Servez-vous d'un tiers, d'une main étrangère, mais 1440 fidèle. Je connais deux ou trois selliers[2] qui ne savent point encore que je suis à vous : si vous voulez, je me chargerai du soin...

M. TURCARET, *l'interrompant.* — Volontiers. Tu me parais assez entendu[3]; je m'en rapporte à toi... *(Lui donnant sa* 1445 *bourse.)* Voilà soixante pistoles que j'ai de reste dans ma bourse; tu les donneras à compte[4].

FRONTIN, *prenant la bourse.* — Je n'y manquerai pas, monsieur. A l'égard des chevaux, j'ai un maître maquignon qui est mon neveu à la mode de Bretagne; il vous en fournira 1450 de fort beaux.

M. TURCARET. — Qu'il me vendra bien cher, n'est-ce pas?

FRONTIN. — Non, monsieur; il vous les vendra en conscience[5].

M. TURCARET. — La conscience d'un maquignon!

FRONTIN. — Oh! je vous en réponds comme de la mienne.

1455 M. TURCARET. — Sur ce pied-là, je me servirai de lui.

FRONTIN. — Autre faute d'attention...

M. TURCARET, *l'interrompant.* — Oh! va te promener avec tes fautes d'attention... Ce coquin-là me ruinerait à la fin... Tu diras de ma part, à madame la baronne, qu'une affaire qui 1460 sera bientôt terminée m'appelle au logis. *(Il sort.)* **(9)**

---

1. *Sans doute :* sans aucun doute; 2. Il est probable que ces *selliers*, outre les harnachements, vendaient aussi de bons carrosses d'occasion; nous avons dans la pièce d'autres exemples de ces commerces d'occasion; d'autre part, Frontin dira (ligne 1464) qu'il va rogner 60 pistoles sur cet achat; 3. Tu t'y entends suffisamment; 4. En acompte. Turcaret a sur lui quelque 1 800 F d'argent de poche; 5. Honnêtement.

━━ QUESTIONS ━━

9. SUR LA SCÈNE X. — Par quels arguments Frontin vient-il à bout de Turcaret? Celui-ci est-il aussi naïf que devant la Baronne? est-il ladre?
— Et Lisette, quels sont ses arguments?
— Étudiez précisément le climat général de cette scène.

Scène XI. — FRONTIN, LISETTE.

FRONTIN. — Cela ne commence pas mal.

LISETTE. — Non, pour madame la baronne; mais pour nous?

FRONTIN. — Voilà toujours soixante pistoles que nous pouvons garder. Je les gagnerai bien sur l'équipage; serre[1]-les :
1465 ce sont les premiers fondements de notre communauté[2].

LISETTE. — Oui; mais il faut promptement bâtir sur ces
fondements-là; car je fais des réflexions morales, je t'en avertis.

FRONTIN. — Peut-on les savoir?

LISETTE. — Je m'ennuie d'être soubrette.

1470 FRONTIN. — Comment, diable! tu deviens ambitieuse?

LISETTE. — Oui, mon enfant. Il faut que l'air qu'on respire
dans une maison fréquentée par un financier soit contraire à
la modestie[3]; car depuis le peu de temps que j'y suis, il me vient
des idées de grandeur que je n'ai jamais eues. Hâte-toi d'amas-
1475 ser du bien; autrement, quelque engagement que nous ayons
ensemble, le premier riche faquin[4] qui viendra pour m'épouser...

FRONTIN, *l'interrompant.* — Mais donnez-moi donc le temps
de m'enrichir.

LISETTE. — Je te donne trois ans; c'est assez pour un homme
1480 d'esprit.

FRONTIN. — Je ne demande pas davantage... C'est assez,
ma princesse. Je vais ne rien épargner pour vous mériter; et,
si je manque d'y réussir, ce ne sera pas faute d'attention.
(Il sort.) **(10)**

---

1. *Serrer :* ranger; 2. *Communauté.* Le mot est employé au sens juridique (mariage
sous le régime de la communauté des biens); 3. *Modestie :* modération dans les
désirs, quels qu'ils soient, et dans l'étalage de soi-même ou de ses biens; 4. *Faquin :*
littéralement, portefaix, débardeur. Donc, dans la bouche des aristocrates, que
Lisette veut singer : homme de basse classe et de manières grossières.

─────── **QUESTIONS** ───────

10. SUR LA SCÈNE XI. — Utilité de cette scène : au point de vue dramatique? psychologique?
— Montrez que ces réflexions brèves, sèches, sont très importantes
pour la moralité de la pièce. Lisette : qu'appelle-t-elle *moral?* Quelle
est son ambition? *Homme d'esprit* voulait dire : intelligent, mais cela
supposait aussi une finesse, une distinction, une certaine « classe » dans
l'intelligence. Lisette a-t-elle raison de donner ce qualificatif à Frontin?
Voir le texte de La Bruyère dans la Documentation thématique.

SCÈNE XII. — LISETTE, *seule*.

1485   Je ne saurais m'empêcher d'aimer ce Frontin; c'est mon
chevalier, à moi; et, au train que je lui vois prendre, j'ai un
secret pressentiment qu'avec ce garçon-là je deviendrai quelque
jour femme de qualité. (11) (12)

ACTE IV

SCÈNE PREMIÈRE. — LE CHEVALIER, FRONTIN.

LE CHEVALIER. — Que fais-tu ici? Ne m'avais-tu pas dit
1490 que tu retournerais chez ton agent de change? Est-ce que tu
ne l'aurais pas encore trouvé au logis?

FRONTIN. — Pardonnez-moi, monsieur; mais il n'était pas
en fonds; il n'avait pas chez lui toute la somme. Il m'a dit
de retourner ce soir. Je vais vous rendre le billet, si vous voulez.

1495 LE CHEVALIER. — Eh! garde-le; que veux-tu que j'en fasse?...
La baronne est là-dedans[1]? Que fait-elle?

FRONTIN. — Elle s'entretient avec Lisette d'un carrosse que
je vais ordonner[2] pour elle, et d'une certaine maison de cam-

---

1. *Là-dedans* : dans sa chambre (il en montre la porte). Le terme n'a aucune valeur
familière à l'époque. Cet acte et le suivant peuvent se passer dans la salle à manger;
2. *Ordonner* de payer.

──────── QUESTIONS ────────

11. SUR LA SCÈNE XII. — Pourquoi est-ce Lisette qui termine cet acte?
Comment? Regardez quel personnage termine chaque acte.
— Le couple Lisette-Frontin d'après leurs monologues conclusifs.
En quoi se prépare ainsi le dénouement?

12. SUR L'ENSEMBLE DE L'ACTE III. — Étudiez, à la lumière des dernières scènes, cet acte comme celui de l'ascension des domestiques.
— Mettez en relief l'habileté des contrastes : le ton, les éclairages, le
rythme; précisez les différents « tableaux » de cet acte; leur enchaînement. Valeur scénique de cette technique de construction dramatique.
— Comment l'auteur sait-il nous présenter Turcaret à travers ces
contrastes : les différentes faces de son caractère, ses différentes réactions
aux gens et aux événements?
— Le relief pris par M. Rafle, par le Marquis. Est-ce que ce sont là
des personnages épisodiques? Montrez que, paradoxalement, non seulement ils ne font pas diversion, mais ils concentrent l'action en en ren-
forçant la tension dramatique.

pagne qui lui plaît, et qu'elle veut louer, en attendant que je lui
100 en fasse faire l'acquisition.

LE CHEVALIER. — Un carrosse, une maison de campagne?
Quelle folie!

FRONTIN. — Oui : mais tout cela se doit faire aux dépens
de M. Turcaret. Quelle sagesse!

105 LE CHEVALIER. — Cela change de thèse.

FRONTIN. — Il n'y a qu'une chose qui l'embarrassait.

LE CHEVALIER. — Eh quoi?

FRONTIN. — Une petite bagatelle.

LE CHEVALIER. — Dis-moi donc ce que c'est.

110 FRONTIN. — Il faut meubler cette maison de campagne. Elle
ne savait comment engager à cela M. Turcaret; mais le génie
supérieur[1] qu'elle a placé auprès de lui s'est chargé de ce
soin-là.

LE CHEVALIER. — De quelle manière t'y prendras-tu?

115 FRONTIN. — Je vais chercher un vieux coquin de ma connaissance qui nous aidera à tirer dix mille francs dont nous avons
besoin pour nous meubler.

LE CHEVALIER. — As-tu bien fait attention à ton stratagème?

FRONTIN. — Oh! que oui, monsieur! C'est mon fort que
120 l'attention[2]. J'ai tout cela dans ma tête; ne vous mettez pas
en peine. Un petit acte supposé[3]... un faux exploit[4]...

LE CHEVALIER, *l'interrompant*. — Mais prends-y garde, Frontin; M. Turcaret sait[5] les affaires.

FRONTIN. — Mon vieux coquin les sait encore mieux que lui.
125 C'est le plus habile, le plus intelligent écrivain[6]...

LE CHEVALIER. — C'est une autre chose.

FRONTIN. — Il a presque toujours eu un logement dans les
maisons du roi[7], à cause de ses écritures[8].

---

1. *Génie supérieur :* voir I, VIII; lignes 473-474; 2. *Attention :* voir III, X; ligne 1400;
3. *Supposé :* une pièce fabriquée, apocryphe; 4. Un *exploit* est un acte de procédure
civile signifié par un officier de justice, généralement un huissier; 5. *Savoir :* s'entendre en affaires, en procédure; 6. *Ecrivain :* les écrivains jurés ou « copistes » for-
maient une corporation bien organisée; mais sans doute s'agit-il ici d'un copiste
privé, véreux et prêt à fabriquer tous les faux papiers; 7. Allusion plaisante aux
prisons royales; 8. *Ecritures :* voir II, IV; lignes 814 et suivantes.

LE CHEVALIER. — Je n'ai plus rien à te dire.

1530 FRONTIN. — Je sais où le trouver, à coup sûr : et nos machines[1] seront bientôt prêtes. Adieu. Voilà M. le marquis qui vous cherche. *(Il sort.)* **(1)**

Scène II. — LE MARQUIS, LE CHEVALIER.

LE MARQUIS. — Ah! palsambleu[2] chevalier, tu deviens bien rare. On ne te trouve nulle part. Il y a vingt-quatre heures que
1535 je te cherche pour te consulter sur une affaire de cœur.

LE CHEVALIER. — Eh! depuis quand te mêles-tu de ces sortes d'affaires, toi?

LE MARQUIS. — Depuis trois ou quatre jours.

LE CHEVALIER. — Et tu m'en fais aujourd'hui la première
1540 confidence! Tu deviens bien discret.

LE MARQUIS. — Je me donne au diable si j'y ai songé. Une affaire de cœur ne me tient au cœur que très faiblement, comme tu sais. C'est une conquête que j'ai faite par hasard, que je conserve par amusement, et dont je me déferai par caprice,
1545 ou par raison, peut-être.

LE CHEVALIER. — Voilà un bel attachement!

LE MARQUIS. — Il ne faut pas que les plaisirs de la vie nous occupent trop sérieusement. Je ne m'embarrasse de rien, moi... Elle m'avait donné son portrait; je l'ai perdu. Un autre s'en
1550 pendrait : *(Faisant le geste de montrer quelque chose qui n'a nulle valeur.)* je m'en soucie comme de cela.

LE CHEVALIER. — Avec de pareils sentiments, tu dois te faire adorer... Mais dis-moi un peu : qu'est-ce que cette femme-là?

---

1. *Machine :* machination; **2.** *Palsambleu* (par le sang de Dieu). C'est le juron d'Alceste dans *le Misanthrope.* Après avoir passé pour démodé, il était revenu à la mode.

--- **QUESTIONS** ---

1. Sur la scène première. — Utilité de cette mise au courant du Chevalier. Comment se justifie-t-elle? Relevez les traits qui trahissent la fierté que Frontin éprouve devant son œuvre. Est-il pleinement satisfait toutefois?

— Comparez le Chevalier et Frontin face aux affaires malhonnêtes : lequel est le plus audacieux? Pourquoi? Dans quelle mesure voyons-nous ici l'évolution qui mène à la situation de Turcaret?

— Le comique ici : nature, origine, effets.

LE MARQUIS. — C'est une femme de qualité, une comtesse de province; car elle me l'a dit.

LE CHEVALIER. — Eh! quel temps as-tu pris pour faire cette conquête-là? Tu dors tout le jour et bois toute la nuit ordinairement.

LE MARQUIS. — Oh! non pas, non pas, s'il vous plaît. Dans ce temps-ci, il y a des heures de bal[1]; c'est là qu'on trouve de bonnes occasions.

LE CHEVALIER. — C'est-à-dire que c'est une connaissance de bal?

LE MARQUIS. — Justement. J'y allai l'autre jour, un peu chaud de vin; j'étais en pointe[2]; j'agaçais les jolis masques. J'aperçois une taille, un air de gorge, une tournure de hanches... J'aborde, je prie, je presse, j'obtiens qu'on se démasque; je vois une personne...

LE CHEVALIER, *l'interrompant*. — Jeune, sans doute?

LE MARQUIS. — Non, assez vieille.

LE CHEVALIER. — Mais belle encore et des plus agréables?

LE MARQUIS. — Pas trop belle.

LE CHEVALIER. — L'amour, à ce que je vois, ne t'aveugle pas.

LE MARQUIS. — Je rends justice à l'objet[3] aimé.

LE CHEVALIER. — Elle a donc de l'esprit?

LE MARQUIS. — Oh! pour de l'esprit, c'est un prodige! Quel flux de pensées! quelle imagination! Elle me dit cent extravagances qui me charmèrent.

LE CHEVALIER. — Quel fut le résultat de la conversation?

LE MARQUIS. — Le résultat? Je la ramenai chez elle avec sa compagnie; je lui offris mes services[4]; et la vieille folle les accepta.

LE CHEVALIER. — Tu l'as revue depuis?

---

1. *Bal.* C'était sans doute un bal public masqué, car ces réunions commençaient à devenir fréquentes. En 1716, le Régent autorisera (ordonnance du 31 décembre) les bals publics trois fois par semaine dans la salle de l'Opéra; 2. *Être en pointe :* être bien parti pour aller jusqu'au bout; 3. *Objet*, voir page 41, ligne 394 et la note; 4. *Mes services :* servir signifiait : « Rendre des soins à une dame pour qui on a de l'amour » (*Dict. Acad.*, 1694).

LE MARQUIS. — Le lendemain soir, dès que je fus levé, je
1585 me rendis à son hôtel.

LE CHEVALIER. — Hôtel garni[1], apparemment?

LE MARQUIS. — Oui, hôtel garni.

LE CHEVALIER. — Eh bien?

LE MARQUIS. — Eh bien! autre vivacité de conversation,
1590 nouvelles folies, tendres protestations de ma part, vives reparties de la sienne. Elle me donna ce maudit portrait que j'ai
perdu avant-hier; je ne l'ai pas revue depuis. Elle m'a écrit.
Je lui ai fait réponse; elle m'attend aujourd'hui, mais je ne
sais ce que je dois faire. Irai-je, ou n'irai-je pas? Que me
1595 conseilles-tu? C'est pour cela que je te cherche.

LE CHEVALIER. — Si tu n'y vas pas, cela sera malhonnête[2].

LE MARQUIS. — Oui! mais si j'y vais aussi, cela paraîtra
bien empressé. La conjoncture est délicate. ⟨Marquer tant
d'empressement, c'est courir après une femme; cela est bien
1600 bourgeois[3], qu'en dis-tu? ⟩

LE CHEVALIER. — Pour te donner conseil là-dessus, il faudrait
connaître cette personne-là.

LE MARQUIS. — Il faut te la faire connaître. Je veux te donner
ce soir à souper chez elle avec ta baronne.

1605 LE CHEVALIER. — Cela ne se peut pas pour ce soir; car je
donne à souper ici.

LE MARQUIS. — A souper ici? Je t'amène ma conquête.

LE CHEVALIER. — Mais la baronne...

LE MARQUIS, *l'interrompant*. — Oh! la baronne s'accom-
1610 modera fort de cette femme-là : il est bon même qu'elles fassent
connaissance; nous ferons quelquefois de petites parties carrées[4].

LE CHEVALIER. — Mais ta comtesse ne fera-t-elle pas difficulté de venir avec toi, tête à tête, dans une maison?

LE MARQUIS, *l'interrompant*. — Des difficultés! Oh! ma
1615 comtesse n'est point difficultueuse; c'est une personne qui
sait vivre, une femme revenue des préjugés de l'éducation.

---

1. *Hôtel garni* : le mot est ici péjoratif; 2. *Malhonnête* : peu convenable, impoli.
Voir page 76, ligne 1188 et la note; 3. *Bourgeois*. Nuance méprisante. (Rapprochez
de la page 81, ligne 1341); 4. *Parties carrées*. Dans le jeu du hombre, c'est une réunion
de trois rois et d'une dame dans la même main... Cette expression désigne couramment toute partie de plaisir à quatre (langage assez vulgaire).

LE CHEVALIER. — Eh bien! amène-la; tu nous feras plaisir.

LE MARQUIS. — Tu en seras charmé, toi. Les jolies manières! Tu verras une femme vive, pétulante, distraite, étourdie, dissipée[1], et toujours barbouillée de tabac[2]. On ne la prendrait pas pour une femme de province.

LE CHEVALIER. — Tu en fais un beau portrait! Nous verrons si tu n'es pas un peintre flatteur.

LE MARQUIS. — Je vais la chercher. Sans adieu, chevalier.

LE CHEVALIER. — Serviteur, marquis. *(Le marquis sort.)*

SCÈNE III. — LE CHEVALIER.

Cette charmante conquête du marquis est apparemment une comtesse comme celle que j'ai sacrifiée à la baronne[3]. (2)

SCÈNE IV. — LA BARONNE, LE CHEVALIER.

LA BARONNE. — Que faites-vous donc là seul, chevalier? Je croyais que le marquis était avec vous.

LE CHEVALIER, *riant*. — Il sort dans le moment[4], madame... Ha, ha, ha!

LA BARONNE. — De quoi riez-vous donc?

LE CHEVALIER. — Ce fou de marquis est amoureux d'une femme de province, d'une comtesse qui loge en chambre

---

1. *Dissipée* : légère, écervelée; 2. *Tabac*. L'usage du tabac à priser est très répandu alors, d'où l'usage des tabatières, souvent en porcelaine, très fines, que l'on pouvait offrir aux dames; 3. Voir I, ii et iii; III, ii; 4. *Dans le moment* : à l'instant même.

■ QUESTIONS

2. SUR LES SCÈNES II ET III. — Qu'attend le Marquis de sa « conquête »? Pourquoi ces questions au Chevalier? Comment voit-il sa Comtesse? Ironise-t-il en faisant son éloge (lignes 1554 à 1576)? Lorsqu'il dépeint ses beautés (ligne 1566) et évoque la scène du masque, il a l'air de lui trouver au moins des charmes corporels. Comment concilier cela avec la peinture de I, iii (lignes 245 et suivantes)?

— La société libertine : ses occupations, son langage, sa moralité, ses goûts. — Sa conception des relations sentimentales : qu'est-ce qui est bourgeois à ses yeux? — Son cynisme est-il profond? Ces personnages vous sont-ils antipathiques? Le réalisme de cette peinture. Est-il appuyé?

— Comparez à III, iv, et complétez le portrait du Marquis.

1635 garnie. Il est allé la prendre chez elle pour l'amener ici. Nous
en aurons le divertissement.

LA BARONNE. — Mais, dites-moi, chevalier, les avez-vous
priés à souper?

LE CHEVALIER. — Oui, madame : augmentation de convives,
1640 surcroît de plaisir. Il faut amuser M. Turcaret, le dissiper.

LA BARONNE. — La présence du marquis le divertira mal.
Vous ne savez pas qu'ils se connaissent; ils ne s'aiment point;
il s'est passé tantôt entre eux une scène ici...

LE CHEVALIER, *l'interrompant.* — Le plaisir de la table rac-
1645 commode tout. Ils ne sont peut-être pas si mal ensemble qu'il
soit impossible de les réconcilier. Je me charge de cela : reposez-
vous sur moi; Turcaret est un bon sot...

LA BARONNE, *voyant entrer M. Turcaret.* — Taisez-vous; je
crois que le voici... je crains qu'il ne vous ait entendu. (3)

SCÈNE V. — M. TURCARET, LA BARONNE,
LE CHEVALIER.

1650 LE CHEVALIER, *à M. Turcaret, en l'embrassant.* — Monsieur
Turcaret veut bien permettre qu'on l'embrasse, et qu'on lui
témoigne la vivacité du plaisir qu'on aura tantôt de se trouver
avec lui le verre à la main?

M. TURCARET, *avec embarras.* — Le plaisir de cette vivacité-là...
1655 monsieur, sera... bien réciproque. L'honneur que je reçois d'une
part... joint à... la satisfaction que... l'on trouve de l'autre...
(Montrant la baronne.) avec madame, fait en vérité, que... je
vous assure... que... je suis fort aise de cette partie-là.

LA BARONNE. — Vous allez, monsieur, vous engager dans des
1660 compliments qui embarrasseront aussi monsieur le chevalier;
et vous ne finirez ni l'un ni l'autre.

─────── **QUESTIONS** ───────

3. SUR LA SCÈNE IV. — Comment expliquez-vous que la Baronne laisse
les autres disposer de son appartement? Voyez toute la suite de l'acte
IV : sa porte ne semble fermée à personne. Est-ce une faiblesse de
caractère, ou un trait de mœurs de sa classe? Comparez à Célimène
dans *le Misanthrope.* — Ici, la Baronne laisse une fois de plus les autres
prendre des initiatives, elle apparaît passive. Mais, d'après ce que vous
savez d'elle, ne pouvez-vous imaginer des intonations, des mimiques, etc.,
qui suppléent la faiblesse de sa parole?

LE CHEVALIER, *à M. Turcaret*. — Ma cousine a raison; supprimons la cérémonie, et ne songeons qu'à nous réjouir. Vous aimez la musique?

M. TURCARET. — Si je l'aime, malepeste! Je suis abonné à l'Opéra[1].

LE CHEVALIER. — C'est la passion dominante des gens du beau monde.

M. TURCARET. — C'est la mienne.

LE CHEVALIER. — La musique remue les passions.

M. TURCARET. — Terriblement[2]! Une belle voix, soutenue d'une trompette[3], cela jette dans une douce rêverie.

LA BARONNE. — Que vous avez le goût bon!

LE CHEVALIER, *à M. Turcaret*. — Oui, vraiment. Que je suis un grand sot de n'avoir pas songé à cet instrument-là!... *(Voulant sortir.)* Oh! parbleu! puisque vous êtes dans le goût des trompettes, je vais moi-même donner ordre...

M. TURCARET, *l'arrêtant*. — Je ne souffrirai point cela, monsieur le chevalier; je ne prétends point que, pour une trompette...

LA BARONNE, *bas à M. Turcaret*. — Laissez-le aller, monsieur. *(Le chevalier sort.)*

LA BARONNE. — Et quand nous pouvons être seuls quelques moments ensemble, épargnons-nous, autant qu'il nous sera possible, la présence des importuns.

M. TURCARET. — Vous m'aimez plus que je ne mérite, madame.

LA BARONNE. — Qui ne vous aimerait pas? Mon cousin le chevalier, lui-même, a toujours eu un attachement pour vous...

M. TURCARET, *l'interrompant*. — Je lui suis bien obligé.

---

1. *L'Opéra.* Il datait de 1671 et avait dû sa vogue à Lully. Il occupait, en 1709, l'ancienne salle de Molière, au Palais-Royal, et il était devenu le rendez-vous de la société élégante. Voir sur ce point la notice, page 8 (« les arts »); 2. *Terriblement :* superlatif à la mode chez les Précieux; 3. Une vraie *trompette*, comme on en utilise alors pour la musique d'ensemble (grands chœurs, morceaux triomphaux), ne saurait *jeter dans une douce rêverie.* Or, la *trompette marine*, le monocorde de M. Jourdain, est un instrument rare et de peu de ressource. Donc Lesage donne ici un bout de dialogue absurde ou ridicule, uniquement par réminiscence de M. Jourdain, et renforce l'effet en parlant simplement de trompette, et en faisant revenir le mot continuellement. Ces lieux communs échangés à propos de la musique nous situent dans une atmosphère proche de celle de certaines pièces modernes (Ionesco, et déjà Labiche).

LA BARONNE. — Une attention pour tout ce qui peut vous
1690 plaire...

M. TURCARET, *l'interrompant.* — Il me paraît fort bon
garçon. (4)

SCÈNE VI. — LISETTE, LA BARONNE,
M. TURCARET.

LA BARONNE, *à Lisette.* — Qu'y a-t-il, Lisette?

LISETTE. — Un homme vêtu de gris noir, avec un rabat sale
1695 et une vieille perruque... *(Bas.)* Ce sont les meubles de la
maison de campagne.

LA BARONNE. — Qu'on fasse entrer. (5)

SCÈNE VII. — M. FURET, FRONTIN, TURCARET,
LA BARONNE, LISETTE.

M. FURET, *à la baronne et à Lisette.* — Qui de vous deux,
mesdames, est la maîtresse de céans[1]?

1700 LA BARONNE. — C'est moi. Que voulez-vous?

M. FURET. — Je ne répondrai point qu'au préalable je ne
me sois donné l'honneur de vous saluer, vous, madame, et
toute l'honorable compagnie, avec tout le respect dû et requis.

M. TURCARET, *à part.* — Voilà un plaisant original!

_____

1. *Céans*, employé ici comme substantif (du latin *ecce intus*) : ici dedans, dans
cette maison.

─────── QUESTIONS ───────

4. SUR LA SCÈNE V. — Le comique de la rencontre entre le Chevalier
et Turcaret. Expliquez l'empressement du premier à l'égard du second
au début de la scène. Les interruptions de Turcaret à la fin de la scène.
— Le jeu sur les trompettes : précisez le comique dû à l'ignorance
du financier; comment est-il souligné par le Chevalier? Décelez un autre
comique, *a posteriori* et pour le spectateur, dû à l'opposition entre l'usage
auquel l'instrument est destiné et la situation dans laquelle se trouvera
Turcaret.
— Montrez au point de vue dramatique l'inversion de situation entre
Turcaret et la Baronne ici et celle d'Alceste et de Célimène, au long du
Misanthrope.

5. SUR LA SCÈNE VI. — Qui marque l'hésitation des deux femmes?
Qu'en est la cause?
— La présentation de M. Furet : la description de Lisette convient-elle
au personnage? Rapprochez-la de Molière, *le Misanthrope* (IV, IV), *le
Tartuffe* (V, IV). Le nom du personnage est-il dépourvu d'importance?

Phot. Bernand.

**Danièle Girard (LISETTE) et Raymond Garrivier (TURCARET),
dans une mise en scène de Guy Rétoré au TEP, en 1965.**

1705   LISETTE, *à M. Furet*. — Sans tant de façons, monsieur, dites-nous au préalable qui vous êtes.

M. FURET, *à Lisette*. — Je suis huissier à verge[1], à votre service, et je me nomme monsieur Furet.

LA BARONNE. — Chez moi, un huissier!

1710   FRONTIN. — Cela est bien insolent!

M. TURCARET, *à la baronne*. — Voulez-vous, madame, que je jette ce drôle-là par les fenêtres? Ce n'est pas le premier coquin que...

M. FURET, *l'interrompant*. — Tout beau, monsieur! D'hon-
1715 nêtes huissiers comme moi ne sont point exposés à de pareilles aventures. J'exerce mon petit ministère d'une façon si obligeante, que toutes les personnes de qualité se font un plaisir de recevoir un exploit de ma main. *(Tirant un papier de sa poche.)* En voici un que j'aurai, s'il vous plaît, l'honneur,
1720 avec votre permission, monsieur, que j'aurai l'honneur de présenter respectueusement à madame... sous votre bon plaisir[2], monsieur.

LA BARONNE. — Un exploit à moi?... *(A Lisette.)* Voyez ce que c'est, Lisette.

1725   LISETTE. — Moi, madame, je n'y connais rien; je ne sais lire que des billets doux... *(A Frontin.)* Regarde, toi, Frontin.

FRONTIN. — Je n'entends pas encore les affaires.

M. FURET, *à la baronne*. — C'est pour une obligation que défunt M. le baron de Porcandorf[3], votre époux...

1730   LA BARONNE, *l'interrompant*. — Feu mon époux, monsieur? Cela ne me regarde point; j'ai renoncé à la communauté[4].

M. TURCARET. — Sur ce pied-là[5], on n'a rien à vous demander.

---

1. *Huissier à verge*. Les huissiers et les sergents portaient la verge pour toucher ceux contre lesquels ils « instrumentaient » en vertu d'un exploit de justice; 2. *Sous votre bon plaisir*. L'expression est fréquemment usitée dans la langue classique avec le sens de : à la faveur de..., grâce à... « On achète un office sous le bon plaisir du roi » (Dictionnaire de Furetière, 1690); 3. *Porcandorf :* calembour possible sur *porc*. Cf. *Pourceaugnac ;* la terminaison *dorf* (village) est fréquente dans les noms de lieux germaniques; 4. *La communauté*. C'est le régime ordinaire dans le mariage en pays coutumier. Le mari en restait néanmoins seigneur et maître, et la femme pouvait y renoncer. La communauté ne comprenait, en général, que les « meubles » et les « acquêts »; 5. A ce compte-là, dans ces conditions. La Baronne ne peut plus être liée (*obligation*, ligne 1728) par une reconnaissance de dette de son mari.

M. FURET. — Pardonnez-moi, monsieur, l'acte étant signé par madame...

1735 M. TURCARET, *l'interrompant*. — L'acte est donc solidaire ?

M. FURET. — Oui, monsieur, très solidaire, et même avec déclaration d'emploi[1]... Je vais vous en lire les termes ; ils sont énoncés dans l'exploit.

M. TURCARET. — Voyons si l'acte est en bonne forme[2].

1740 M. FURET, *après avoir mis ses lunettes*. — « Par devant, etc.,
« furent présents en leurs personnes, haut et puissant seigneur
« Georges-Guillaume de Porcandorf, et dame Agnès-Ildegonde
« de la Dolinvillière, son épouse, de lui dûment autorisée à
« l'effet des présentes[3] ; lesquels ont reconnu devoir à Éloi-
1745 « Jérôme Poussif, marchand de chevaux, la somme de dix
« mille livres... »

LA BARONNE, *l'interrompant*. — Dix mille livres !

LISETTE. — La maudite obligation !

M. FURET, *continuant à lire son exploit*. — « Pour un équipage
1750 « fourni par ledit Poussif, consistant en douze mulets, quinze
« chevaux normands, sous poil roux, et trois bardots[4] d'Au-
« vergne, ayant tous crins, queues et oreilles, et garnis de leurs
« bâts, selles, brides et licols...

LISETTE, *l'interrompant*. — Brides et licols ! Est-ce à une femme
1755 à payer ces sortes de nippes[5]-là ?

M. TURCARET. — Ne l'interrompons point. (*A M. Furet.*)
Achevez, mon ami...

M. FURET, *achevant de lire son exploit*. — « Au payement
« desquelles dix mille livres lesdits débiteurs ont obligé, affecté
1760 « et hypothéqué[6] généralement tous leurs biens présents et à
« venir, sans division ni discussion, renonçant auxdits droits[7] ;

---

1. ... Mais la Baronne a dû oublier (et pour cause !) que, dans ce cas précis, elle avait reconnu par écrit s'associer à la dette. La *déclaration d'emploi* contient le détail des achats non payés ; 2. Faute de mieux, Turcaret est à l'affût des vices de forme, c'est-à-dire des détails contestables ou des points de procédure abusive qui pourraient lui permettre de faire opposition ; 3. *Dûment*, etc. : autorisée, selon les formes juridiques, par son mari à rendre effectives les lettres en question ; 4. *Bardot :* petit mulet issu de l'union d'un cheval et d'une ânesse ; 5. *Nippes :* sens large ; voir page 72, ligne 1103 et la note ; 6. *Obligé :* donné en garantie du paiement. *Affecté* et *hypothéqué* impliquent que le créancier pourra contrôler éventuellement la saisie et la vente des meubles ou immeubles. La Baronne n'est vraiment plus chez elle ; 7. Aux *droits* de division ou de discussion impliqués dans la renonciation à la communauté ;

« et pour l'exécution des présentes, ont élu domicile chez
« Innocent-Blaise Le Juste, ancien procureur au Châtelet,
« demeurant rue du Bout-du-Monde. Fait et passé, etc. »

1765   FRONTIN, *à M. Turcaret*. — L'acte est-il en bonne forme,
monsieur?

M. TURCARET. — Je n'y trouve rien à redire que la somme.

M. FURET. — Que la somme, monsieur! Oh! il n'y a rien à
redire à la somme, elle est fort bien énoncée[1].

1770   M. TURCARET, *à la baronne*. — Cela est chagrinant[2].

LA BARONNE. — Comment, chagrinant! Est-ce qu'il faudra
qu'il m'en coûte sérieusement dix mille livres pour avoir signé?

LISETTE. — Voilà ce que c'est que d'avoir trop de complaisance pour un mari. Les femmes ne se corrigeront-elles jamais
1775   de ce défaut-là?

LA BARONNE. — Quelle injustice!... *(A M. Turcaret.)* N'y
a-t-il pas moyen de revenir contre cet acte-là, monsieur Turcaret?

M. TURCARET. — Je n'y vois point d'apparence. Si dans l'acte
vous n'aviez pas expressément renoncé aux droits de division
1780   et de discussion, nous pourrions chicaner ledit Poussif.

LA BARONNE. — Il faut donc se résoudre à payer, puisque
vous m'y condamnez, monsieur. **(6)** Je n'appelle pas de[3] vos
décisions.

FRONTIN, *bas, à M. Turcaret*. — Quelle déférence on a pour
1785   vos sentiments!

LA BARONNE, *à M. Turcaret*. — Cela m'incommodera un
peu; cela dérangera la destination que j'avais faite de certain
billet au porteur que vous savez.

---

1. Furet prend Turcaret à son propre jeu : il n'y a aucun vice de forme; 2. *Chagrinant* : irritant; 3. *Je n'appelle pas...* (langage juridique) : je ne demande pas à une
instance supérieure de revoir votre jugement.

━━━ QUESTIONS ━━━

6. *Vous m'y condamnez* s'adresse évidemment à Turcaret. Étudiez,
depuis le début de la scène, la manière dont chacun tour à tour se dérobe
à ses responsabilités. — Les lourdes insinuations de Frontin arrivent à
décider Turcaret, malgré les protestations évidemment insincères de la
Baronne. Mais le début de la scène peut vous faire comprendre comment,
a priori, Turcaret devait être amené à prendre les responsabilités de cette
dette.

LISETTE. — Il n'importe; payons, madame; ne soutenons pas
1790 un procès contre l'avis de M. Turcaret.

LA BARONNE. — Le ciel m'en préserve! Je vendrais plutôt
mes bijoux, mes meubles.

FRONTIN, *bas, à M. Turcaret.* — Vendre ses meubles, ses
bijoux; et pour l'équipage d'un mari encore! La pauvre femme!

1795 M. TURCARET, *à la baronne.* — Non, madame, vous ne ven-
drez rien. Je me charge de cette dette-là; j'en fais mon affaire.

LA BARONNE. — Vous vous moquez. Je me servirai de ce
billet, vous dis-je.

M. TURCARET. — Il faut le garder pour un autre usage.

1800 LA BARONNE. — Non, monsieur, non; la noblesse de votre
procédé m'embarrasse plus que l'affaire même.

M. TURCARET. — N'en parlons plus, madame; je vais tout
de ce pas, y mettre ordre.

FRONTIN. — La belle âme!... *(A M. Furet.)* Suis-nous,
1805 sergent[1] : on va te payer.

LA BARONNE, *à M. Turcaret.* — Ne tardez pas au moins.
Songez que l'on vous attend.

M. TURCARET. — J'aurai promptement terminé cela; et puis
je reviendrai des affaires aux plaisirs. *(Il sort avec M. Furet*
1810 *et Frontin.)* (7)

---

1. *Sergent :* nom donné couramment aux huissiers.

■—— QUESTIONS ——

7. SUR L'ENSEMBLE DE LA SCÈNE VII. — Utilité de cette scène dans la
pièce? Pour la situation de Turcaret; pour celle des valets; comme preuve
des talents de Frontin. Ne pourrait-on cependant l'isoler? A quel titre?

— La réplique de Lisette (ligne 1789) prouve que tout cela a été monté
par Frontin. Voyez avec précision le comportement de celui-ci pendant
la scène; montrez que le détail même de son faux exploit, comme il disait
ligne 1521, le met dans une situation de supériorité sur Turcaret : montrez comment, dans toute cette affaire, le Traitant est vaincu par ses
propres armes.

— Comment Turcaret prend-il la chose?

— Recherchez ce que cette scène doit à la tradition : Rabelais (*Quart
Livre,* chap. XII-XIV); Racine (*les Plaideurs).* Relevez tous les détails
qui la situent au niveau de la farce.

— Le personnage de M. Furet, sa manière de procéder. Comparez
avec Monsieur Loyal dans *le Tartuffe* (V, IV) : langage, souplesse d'attitude. Étudiez l'évolution du comportement de Turcaret à son égard.

Scène VIII. — LA BARONNE, LISETTE.

LISETTE, *à part*[1]. — Et nous vous renverrons des plaisirs aux affaires, sur ma parole! Les habiles fripons que MM. Furet et Frontin, et la bonne dupe que M. Turcaret!

LA BARONNE. — Il me paraît qu'il l'est trop, Lisette.

1815 LISETTE. — Effectivement, on n'a point assez de mérite à le faire donner dans le panneau.

LA BARONNE. — Sais-tu que je commence à le plaindre?

LISETTE. — Mort de ma vie! point de pitié indiscrète[2]. Ne plaignons point un homme qui ne plaint personne.

1820 LA BARONNE. — Je sens naître malgré moi des scrupules.

LISETTE. — Il faut les étouffer.

LA BARONNE. — J'ai peine à les vaincre.

LISETTE. — Il n'est pas encore temps d'en avoir, et il vaut mieux sentir quelque jour des remords pour avoir ruiné un
1825 homme d'affaires, que le regret d'en avoir manqué l'occasion. **(8)**

Scène IX. — JASMIN, LA BARONNE, LISETTE.

JASMIN, *à la baronne*. — C'est de la part de madame Dorimène.

LA BARONNE. — Faites entrer. *(Jasmin sort.)*

LA BARONNE. — Elle m'envoie peut-être proposer une partie de plaisir; mais...

Scène X. — MADAME JACOB, LA BARONNE, LISETTE.

1830 MADAME JACOB, *à la baronne*. — Je vous demande pardon, madame, de la liberté que je prends. Je revends à la toilette,

---

1. Cette indication surprend, car la Baronne entend sa dernière phrase; **2.** *Indiscrète :* donnée sans discernement, à tort; mais aussi excessive.

─── **QUESTIONS** ───

8. SUR LA SCÈNE VIII. — Après le climat de farce de la scène VII, voyez comment le cynisme devient cruel. Après que Frontin a dupé Turcaret et s'est montré plus fort que lui en affaires, Lisette entreprend d'achever la démoralisation de sa Baronne. Comparez son ton avec celui de Frontin, I, IX. — N'est-elle pas plus perverse encore?
— Quelle moralité semble se dégager de la pièce, jusqu'ici?

et je me nomme madame Jacob. J'ai l'honneur de vendre
quelquefois des dentelles et toutes sortes de pommades à
madame Dorimène. Je viens de l'avertir que j'aurai tantôt un
835 bon hasard[1]; mais elle n'est point en argent[2], et elle m'a dit
que vous pourriez vous en accommoder[3].

LA BARONNE. — Qu'est-ce que c'est?

MADAME JACOB. — Une garniture[4] de quinze cents livres,
que veut revendre une fermière[5] des Regrats. Elle ne l'a mise
840 que deux fois. La dame en est dégoûtée : elle la trouve trop
commune; elle veut s'en défaire.

LA BARONNE. — Je ne serais pas fâchée de voir cette coiffure.

MADAME JACOB. — Je vous l'apporterai dès que je l'aurai,
madame; je vous en ferai avoir bon marché.

845 LISETTE. — Vous n'y perdrez pas; madame est généreuse. (9)

MADAME JACOB. — Ce n'est pas l'intérêt qui me gouverne;
et j'ai, Dieu merci, d'autres talents que de revendre à la toilette.

LA BARONNE. — J'en suis persuadée.

LISETTE, *à M*me *Jacob.* — Vous en avez bien la mine.

850 MADAME JACOB. — Eh! vraiment, si je n'avais pas d'autres
ressources, comment pourrais-je élever mes enfants aussi honnêtement que je le fais? J'ai un mari, à la vérité; mais il ne sert
qu'à faire grossir ma famille, sans m'aider à l'entretenir.

LISETTE. — Il y a bien des maris qui font tout le contraire.

855 LA BARONNE. — Eh! que faites-vous donc, madame Jacob,
pour fournir ainsi toute seule aux dépenses de votre famille?

---

1. *Hasard :* occasion; 2. Entendez : « Mme Dorimène n'est pas en fonds »; 3. *Vous
en accommoder :* faire une affaire avec moi à ce sujet; 4. *Garniture.* La Baronne
dira *coiffure.* Il s'agit donc d'un bijou de tête : diadème, peigne, cercle... Le prix
serait actuellement de 4 500 F; 5. *Fermière :* bien entendu, femme d'un fermier
général. Les *Regrats*, donnés ici comme un nom de lieu, désignaient des ventes
de détail, en seconde main. A rapprocher de *gratter*, en argot moderne : faire de
petits profits.

———— QUESTIONS ————

9. Relevez les nouvelles indications que fournit Lesage sur les fré-
quentations et les mœurs de la noblesse. — Dans les dernières lignes de
ce passage, notez comment, dans ce milieu, on traite continuellement
d'affaires, tout en gardant un souci de bonne apparence morale. Trouvez-en
d'autres exemples dans ce que vous avez déjà lu de la pièce.

MADAME JACOB. — Je fais des mariages, la bonne dame. Il est vrai que ce sont des mariages légitimes; ils ne produisent pas tant que les autres : mais, voyez-vous, je ne veux rien avoir 1860 à me reprocher.

LISETTE. — C'est fort bien fait.

MADAME JACOB. — J'ai marié, depuis quatre mois, un jeune mousquetaire avec la veuve d'un auditeur des comptes[1]. La belle union! Ils tiennent tous les jours table ouverte; ils mangent 1865 la succession de l'auditeur le plus agréablement du monde.

LISETTE. — Ces deux personnes-là sont bien assorties.

MADAME JACOB. — Oh! tous mes mariages sont heureux... *(A la baronne.)* Et si madame était dans le goût de se marier, j'ai en main le plus excellent sujet.

1870 LA BARONNE. — Pour moi, madame Jacob?

MADAME JACOB. — C'est un gentilhomme limousin. La bonne pâte de mari! Il se laissera mener par une femme comme un Parisien.

LISETTE, *à la baronne*. — Voilà encore un bon hasard, madame.

1875 LA BARONNE. — Je ne me sens point en disposition d'en profiter; je ne veux pas sitôt me marier; je ne suis point encore dégoûtée du monde.

LISETTE, *à Mme Jacob*. — Oh! bien, je le suis, moi, madame Jacob. Mettez-moi sur vos tablettes.

1880 MADAME JACOB. — J'ai votre affaire. C'est un gros commis qui a déjà quelque bien, mais peu de protection; il cherche une jolie femme pour s'en faire.

LISETTE. — Le bon parti! Voilà mon fait.

LA BARONNE, *à Mme Jacob*. — Vous devez être riche, 1885 madame Jacob? **(10)**

---

1. *Un auditeur des comptes :* un des grades de la chambre des comptes. Cette chambre, issue de la Cour du roi, datait du XIVe siècle. Elle surveillait l'administration financière du royaume. En 1789, il existait, en France, douze chambres des comptes. Elles furent supprimées par l'Assemblée constituante.

--- QUESTIONS ---

10. Étudiez de façon précise le ton de l'entretien. — Deux phrases de la Baronne méritent attention et explication : (ligne 1876) *Je ne veux pas sitôt me marier...* et (ligne 1884) *Vous devez être riche, Mme Jacob?* — Cet entretien vous paraît-il s'accorder avec la thèse selon laquelle notre Baronne serait d'authentique noblesse, mais réduite par le régime politique à chercher des ressources financières n'importe où?

MADAME JACOB. — Hélas! hélas! je devrais faire dans Paris une figure... Je devrais rouler carrosse, ma chère dame, ayant un frère comme j'en ai un dans les affaires.

LA BARONNE. — Vous avez un frère dans les affaires?

MADAME JACOB. — Et dans les grandes affaires encore! Je suis sœur de M. Turcaret, puisqu'il faut vous le dire... Il n'est pas que[1] vous n'en ayez ouï parler?

LA BARONNE, *avec étonnement*. — Vous êtes sœur de M. Turcaret?

MADAME JACOB. — Oui, madame, je suis sa sœur de père et de mère même.

LISETTE, *étonnée aussi*. — M. Turcaret est votre frère, madame Jacob?

MADAME JACOB. — Oui, mon frère, mon propre frère, et je n'en suis pas plus grande dame pour cela... Je vous vois toutes deux bien étonnées. C'est sans doute à cause qu'il[2] me laisse prendre toute la peine que je me donne?

LISETTE. — Eh oui! c'est ce qui fait le sujet de notre étonnement.

MADAME JACOB. — Il fait bien pis, le dénaturé qu'il est! Il m'a défendu l'entrée de sa maison, et il n'a pas le cœur d'employer mon époux.

LA BARONNE. — Cela crie vengeance.

LISETTE, *à Mme Jacob*. — Ah! le mauvais frère! **(11)**

MADAME JACOB. — Aussi mauvais frère que mauvais mari. N'a-t-il pas chassé sa femme de chez lui!

LA BARONNE. — Ils faisaient donc mauvais ménage?

---

1. *Il n'est pas que* : Il n'est pas possible que (langue classique); 2. *A cause que*, usuel jusqu'au XVIIIe siècle au sens de « parce que ».

─── **QUESTIONS** ───

11. Quelle révélation apporte ce passage? Rattachez-la à l'action et à l'atmosphère dramatique. Sommes-nous surpris de cette attitude de Turcaret? Cet « étonnement » (sans doute dans un sens encore assez fort à l'époque) a-t-il pour unique raison celle que vient de formuler Mme Jacob? — *Cela crie vengeance* (ligne 1908) : la Baronne dit-elle cela avec ironie, en s'amusant? Effet produit sur le spectateur.

MADAME JACOB. — Ils le font encore, madame : ils n'ont ensemble aucun commerce[1]; et ma belle-sœur est en province.

1915 LA BARONNE. — Quoi! M. Turcaret n'est pas veuf?

MADAME JACOB. — Bon! Il y a dix ans qu'il est séparé de sa femme, à qui il fait tenir[2] une pension à Valognes[3], afin de l'empêcher de venir à Paris.

LA BARONNE, *bas, à Lisette.* — Lisette?

1920 LISETTE, *bas.* — Par ma foi! madame, voilà un méchant homme.

MADAME JACOB. — Oh! le ciel le punira tôt ou tard; cela ne lui peut manquer. J'ai déjà ouï dire dans une maison qu'il y avait du dérangement[4] dans ses affaires.

1925 LA BARONNE. — Du dérangement dans ses affaires?

MADAME JACOB. — Eh! le moyen qu'il n'y en ait pas? C'est un vieux fou qui a toujours aimé toutes les femmes, hors la sienne. Il jette tout par les fenêtres dès qu'il est amoureux : c'est un panier percé.

1930 LISETTE, *bas.* — A qui le dit-elle? Qui le sait mieux que nous?

MADAME JACOB, *à la baronne.* — Je ne sais à qui il est attaché présentement; mais il a toujours quelques demoiselles qui le plument, qui l'attrapent; et il s'imagine les attraper, lui, parce qu'il leur promet de les épouser. N'est-ce pas là un grand sot? 1935 Qu'en dites-vous, madame?

LA BARONNE, *déconcertée.* — Oui, cela n'est pas tout à fait... (12)

---

1. *Commerce :* toute espèce de relation (voir page 74, ligne 1142 et la note); 2. *Faire tenir. Tenir* est, au XVIIᵉ siècle, souvent employé au lieu de ses composés. Ici « obtenir »; 3. *Valognes.* A 28 km de Cherbourg. Chef-lieu d'élection à l'époque. On raillait communément la rusticité des bas Normands; 4. *Du dérangement.* On dirait aujourd'hui que « ses affaires allaient mal ».

— QUESTIONS —

12. Intérêt des confidences faites ici par Mᵐᵉ Jacob? Est-ce que ce sont des choses que nous ignorions, ou que nous ne pouvions deviner? Valeur de généralisation de la dernière réplique de Mᵐᵉ Jacob. Qu'est-ce qui fait parler celle-ci? — Comment achèveriez-vous la phrase de la Baronne (ligne 1936)?
— Pourquoi cette réticence?

MADAME JACOB, *l'interrompant*. — Oh! que j'en suis aise! Il le mérite bien, le malheureux, il le mérite bien! Si je connaissais sa maîtresse, j'irais lui conseiller de le piller, de le manger, de le ronger, de l'abimer[1]. *(A Lisette.)* N'en feriez-vous pas autant, mademoiselle?

LISETTE. — Je n'y manquerais pas, madame Jacob.

MADAME JACOB, *à la baronne*. — Je vous demande pardon de vous étourdir[2] ainsi de mes chagrins; mais quand il m'arrive d'y faire réflexion, je me sens si pénétrée[3], que je ne puis me taire... Adieu, madame; sitôt que j'aurai la garniture, je ne manquerai pas de vous l'apporter.

LA BARONNE. — Cela ne presse pas, madame, cela ne presse pas. *(Mme Jacob sort.)* **(13)**

Scène XI. — LA BARONNE, LISETTE.

LA BARONNE. — Eh bien, Lisette?

LISETTE. — Eh bien, madame?

LA BARONNE. — Aurais-tu deviné que M. Turcaret eût une sœur revendeuse à la toilette?

LISETTE. — Auriez-vous cru, vous, qu'il eût une vraie femme en province?

LA BARONNE. — Le traître! il m'avait assuré qu'il était veuf, et je le croyais de bonne foi.

LISETTE. — Ah! le vieux fourbe!... *(Voyant rêver[4] la baronne.)* Mais qu'est-ce donc que cela?... Qu'avez-vous?... Je vous vois

---

1. *Abimer* (au sens fort, encore courant à l'époque) : ruiner de fond en comble (jeter dans un abîme); 2. *Etourdir* : fatiguer les oreilles. « Vos règles... dont vous nous étourdissez tous les jours » (Molière, *Critique de l'Ecole des femmes*, VI); 3. *Pénétré* (au sens fort) : ému jusqu'au fond de soi-même; 4. *Rêver* « signifie aussi : penser, méditer profondément sur quelque chose » (*Dictionnaire de l'Académie*, 1694).

■ QUESTIONS ■

13. SUR L'ENSEMBLE DE LA SCÈNE X. — La personne de Mme Jacob : portrait d'une profession; en quoi consistent ses fonctions? Est-ce simplement un commerce? Qu'est-ce qui la fait bienvenir de sa clientèle?
— L'ambiguïté de ses activités.
— Qu'apprend-on ici sur Turcaret? Sommes-nous surpris? Ces précisions n'avaient-elles pas besoin d'être données toutefois?
— Les réactions de la Baronne et de Lisette.
— De quelle manière le sort réservé à Turcaret paraît-il maintenant plus « moral »?

toute chagrine. Merci de ma vie! vous prenez la chose aussi sérieusement que si vous étiez amoureuse de M. Turcaret.

LA BARONNE. — Quoique je ne l'aime pas, puis-je perdre sans chagrin l'espérance de l'épouser? Le scélérat! il a une 1965 femme! Il faut que je rompe avec lui.

LISETTE. — Oui; mais l'intérêt de votre fortune veut que vous le ruiniez auparavant. Allons, madame, pendant que nous le tenons, brusquons[1] son coffre-fort, saisissons ses billets ; mettons M. Turcaret à feu et à sang : rendons-le enfin si misé-1970 rable, qu'il puisse un jour faire pitié, même à sa femme, et redevenir frère de Mme Jacob. (14) (15)

─────────

1. *Brusquer* (terme militaire) : prendre rapidement et brutalement; *brusquer une place :* essayer de s'en emparer par un coup de force.

──────── QUESTIONS ────────

14. SUR LA SCÈNE XI. — Utilité de cette scène au point de vue psychologique. Quel est l'effet des confidences de Mme Jacob? Cette dernière pouvait-elle deviner qu'elle touchait aussi juste?

— A quelle solution Lisette et la Baronne aboutissent-elles? Y a-t-il changement dans leur attitude à l'égard de Turcaret? L'esprit en est-il le même? Utilité de ce réajustement?

15. SUR L'ENSEMBLE DE L'ACTE IV. — Pourquoi introduire avec Mme Jacob un personnage de plus? Distinguez dans la scène x un début qui paraît stagnant, dont l'utilité serait purement documentaire, et les passages qui font avancer l'action par les révélations de Mme Jacob et les décisions qu'en tirent les deux autres femmes.

— Voyez dans l'ensemble de la pièce le système des révélations sur les personnages; notamment sur Turcaret, ses antécédents, ses traits de caractère, sa vie privée et son entourage. Étudiez comment ces révélations servent à la fois à le dépeindre et à préparer sa ruine.

— Comparez la tirade finale de Lisette (lignes 1966-1971) avec la fin de I, IX. — Cette rage d'anéantissement vient-elle de son caractère? — Indique-t-elle le but essentiel de son entreprise? (Reportez-vous à V, I.)

— Voyez-vous dans cet acte une « unité »? une structure? Montrez dans quelle mesure l'acte IV est destiné à préparer le dénouement.

— La place donnée au Marquis. — Que pensez-vous de ce personnage?

— Pourquoi, alors qu'il n'a pas de grands intérêts dans l'histoire, est-ce à lui que Lesage confie une partie du dénouement? — Aimeriez-vous jouer ce rôle?

— Étudiez avec quel art Lesage a mis dans cet acte IV des « moments de détente » qui font croire que plus rien ne se passe, et des « menaces » qui préparent la confusion de Turcaret et d'autres personnages.

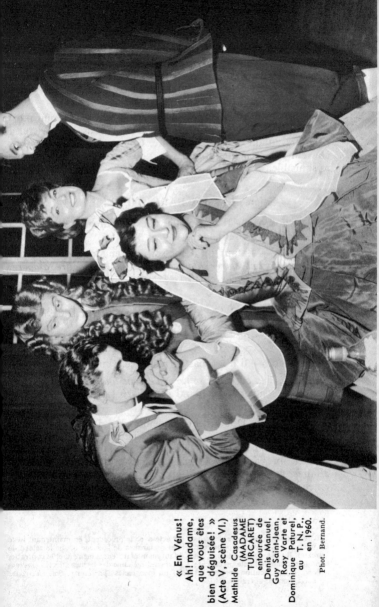

« En Vénus!
Ah! madame,
que vous êtes
bien déguisée! »
(Acte V, scène VI.)

Mathilde Casadesus
(MADAME
TURCARET)
entourée de
Denis Manuel,
Guy Saint-Jean,
Rosy Varte et
Dominique Paturel,
au T. N. P.,
en 1960.

Phot. Bernand.

ACTE V[1]

Scène première. — LISETTE.

La bonne maison que celle-ci pour Frontin et pour moi! Nous avons déjà soixante pistoles, et il nous en reviendra peut-être autant de l'acte solidaire. Courage! Si nous gagnons 1975 souvent de ces petites sommes-là, nous en aurons à la fin une raisonnable.

Scène II. — LA BARONNE, LISETTE.

LA BARONNE. — Il me semble que M. Turcaret devrait bien être de retour, Lisette.

LISETTE. — Il faut qu'il lui soit survenu quelque nouvelle 1980 affaire. *(Voyant entrer Flamand, sans le reconnaître d'abord, parce qu'il n'est plus en livrée.)* Mais que veut ce monsieur?

Scène III. — FLAMAND, LA BARONNE, LISETTE.

LA BARONNE, *à Lisette.* — Pourquoi laisse-t-on entrer sans avertir?

FLAMAND. — Il n'y a pas de mal à cela, madame; c'est moi.

1985 LISETTE, *à la baronne, en reconnaissant Flamand.* — Eh! c'est Flamand, madame; Flamand sans livrée! Flamand l'épée au côté! Quelle métamorphose!

FLAMAND. — Doucement, mademoiselle, doucement! On ne doit pas, s'il vous plaît, m'appeler Flamand tout court. Je ne 1990 suis plus laquais de M. Turcaret, non; il vient de me faire donner un bon emploi, oui. Je suis présentement dans les affaires, da! et, par ainsi[2] il faut m'appeler monsieur Flamand, entendez-vous?

---

1. Il semble qu'on doive enchaîner cet acte avec le précédent, en maintenant juste un intervalle symbolique pour justifier les remarques de la scène II, sur le retard de Turcaret. Il s'est passé du temps, mais il faut maintenir l'enchaînement et le contraste, selon le rythme de l'acte précédent ; 2. Flamand mélange des termes affectés *(présentement)* et des locutions populaires *(da)* ou incorrectes *(par ainsi)*. Entendez-vous? est belge, comme *savez-vous?*

LISETTE. — Vous avez raison, monsieur Flamand : puisque
95 vous êtes devenu commis, on ne doit plus vous traiter comme
un laquais.

FLAMAND, *montrant la baronne*. — C'est à madame que j'en
ai l'obligation, et je viens ici tout exprès pour la remercier.
C'est une bonne dame, qui a bien de la bonté pour moi de
100 m'avoir fait bailler[1] une bonne commission qui me vaudra
bien cent bons écus par chacun an, et qui est dans un bon
pays encore; car c'est à Falaise[2], qui est une si bonne ville,
où il y a, dit-on, de si bonnes gens.

LISETTE. — Il y a bien du bon dans tout cela, monsieur
105 Flamand.

FLAMAND. — Je suis capitaine concierge[3] de la porte de Guibrai. J'aurai les clefs, et pourrai faire entrer et sortir tout ce
qu'il me plaira. L'on m'a dit que c'était un bon droit que
celui-là.

110 LISETTE. — Peste!

FLAMAND. — Oh! ce qu'il y a de meilleur, c'est que cet
emploi-là porte bonheur à ceux qui l'ont; car ils s'y enrichissent
tous. M. Turcaret a, dit-on, commencé par là.

LA BARONNE. — Cela est bien glorieux pour vous, monsieur
115 Flamand, de marcher ainsi sur les pas de votre maître!

LISETTE, *à Flamand*. — Et nous vous exhortons, pour votre
bien, à être honnête comme lui.

FLAMAND, *à la baronne*. — Je vous enverrai, madame, de
petits présents de fois à autres.

120 LA BARONNE. — Non, mon pauvre Flamand; je ne te demande
rien.

FLAMAND. — Oh! que si fait! Je sais bien comme les commis
en usent avec les demoiselles[4] qui les placent : mais tout ce
que je crains, c'est d'être révoqué, car dans les commissions
125 on est grandement sujet à ça, voyez-vous.

LISETTE. — Cela est désagréable.

---

1. *Bailler* (vieux terme) : donner, octroyer; 2. *Falaise* : encore la Normandie!
Voir p. 106, ligne 1917 et la note; 3. *Capitaine concierge* : officier qui commandait
la porte. La porte est celle qui donnait sur le faubourg de Guibrai, célèbre par sa
foire au mois d'août : c'est la période où l'on perçoit le plus de droits d'entrée;
4. *Demoiselle* : inconvenance de ce brave Flamand; le terme ne s'appliquait à des
femmes mariées que si elles n'étaient pas nobles.

FLAMAND, *à la baronne*. — Par exemple, le commis que l'on révoque aujourd'hui pour me mettre à sa place, a eu cet emploi-là par le moyen d'une certaine dame que M. Turcaret
2030 a aimée, et qu'il n'aime plus. Prenez bien garde, madame, de me faire révoquer aussi.

LA BARONNE. — J'y donnerai toute mon attention, monsieur Flamand.

FLAMAND. — Je vous prie de plaire toujours à M. Turcaret,
2035 madame.

LA BARONNE. — J'y ferai tout mon possible, puisque vous y êtes intéressé.

FLAMAND, *s'approchant de la baronne*. — Mettez toujours de ce beau rouge pour lui donner dans la vue.

2040 LISETTE, *le repoussant*. — Allez, monsieur le capitaine concierge, allez à votre porte de Guibrai. Nous savons ce que nous avons à faire... Oui; nous n'avons pas besoin de vos conseils... Non; vous ne serez jamais qu'un sot. C'est moi qui vous le dis, da! entendez-vous? *(Flamand sort.)*

SCÈNE IV. — LA BARONNE, LISETTE.

2045 LA BARONNE. — Voilà le garçon le plus ingénu...

LISETTE, *l'interrompant*. — Il y a pourtant longtemps qu'il est laquais; il devrait bien être déniaisé[1]. (1)

---

1. Voir p. 60, ligne 825.

— QUESTIONS —

1. SUR LES SCÈNES I, II, III ET IV. — Enchaînement avec l'acte précédent.
— La scène jargonnante est un intermède traditionnel. (Voyez les paysans dans *Dom Juan*, les domestiques dans *l'Ecole des femmes*, etc.) Est-elle réussie? Lisette se contente-t-elle de reprendre les « mots » de Flamand?
— Comment expliquez-vous qu'après les inquiétudes exprimées à la scène II Lisette ait l'air d'avoir tout son temps pour s'amuser (et la Baronne aussi, du reste)?
— Appréciez l'utilité de cette scène selon les questions posées à propos de Mme Jacob (IV, X et XI).
— En quoi ce début peut-il paraître un simple intermède comique? Toutefois, au moins par certains côtés (parallèle entre Turcaret et Flamand pour l'esprit et la carrière), n'est-il pas lié à l'action?

Scène V. — JASMIN, LA BARONNE, LISETTE.

JASMIN, *à la baronne.* — C'est M. le marquis avec une grosse et grande madame. *(Il sort.)*

050   LA BARONNE. — C'est sa belle conquête. Je suis curieuse de la voir.

LISETTE. — Je n'en ai pas moins d'envie que vous; je m'en fais une plaisante image. **(2)**

Scène VI. — LE MARQUIS, MADAME TURCARET, LA BARONNE, LISETTE.

LE MARQUIS, *à la baronne.* — Je viens, ma charmante baronne,
055 vous présenter une aimable dame, la plus spirituelle, la plus galante[1], la plus amusante personne... Tant de bonnes qualités, qui vous sont communes, doivent vous lier d'estime et d'amitié.

LA BARONNE. — Je suis très disposée à cette union... *(Bas à Lisette.)* C'est l'original du portrait que le chevalier m'a
060 sacrifié. **(3)**

MADAME TURCARET. — Je crains, madame, que vous ne perdiez bientôt ces bons sentiments[2]. Une personne du grand monde, du monde brillant, comme vous, trouvera peu d'agrément dans le commerce d'une femme de province.

065   LA BARONNE. — Ah! vous n'avez point l'air provincial, madame; et nos dames le plus de mode n'ont pas les manières plus agréables que les vôtres.

---

1. *Galante :* libre dans ses mœurs et aimant s'amuser; 2. Opinions.

―――――― **QUESTIONS** ――――――

2. SUR LA SCÈNE V. — Jasmin ne sort-il pas ici, pour une fois, de son rôle de simple annoncier? En quoi dans cette pièce pourrait-on dire qu'il n'y a pas de rôles secondaires?

3. Ce portrait de Mme Turcaret (que vous caractériserez schématiquement) doit être vrai, si on le compare à IV, II. Du même coup, le Marquis ne nous donne-t-il pas une indication sur le caractère de la Baronne? Qu'en pensez-vous, d'après son comportement ici, et précédemment, avec Flamand par exemple? — Mais Mme Turcaret n'est-elle pas amusante involontairement? — Le rappel du portrait donné par le Chevalier n'est-il pas piquant après l'entrée en matière du Marquis? Ne pourrait-on aller jusqu'à se demander s'il n'y a pas eu connivence entre le Chevalier et le Marquis?

LE MARQUIS, *en montrant M*^{me} *Turcaret*. — Ah! palsambleu! non. Je m'y connais, madame; et vous conviendrez avec moi en voyant cette taille[1] et ce visage-là, que je suis le seigneur de France du meilleur goût.

MADAME TURCARET. — Vous êtes trop poli, monsieur le marquis. Ces flatteries-là pourraient me convenir en province, où je brille assez, sans vanité. J'y suis toujours à l'affût des modes; on me les envoie toutes dès le moment qu'elles sont inventées, et je puis me vanter d'être la première qui ait porté des prétintailles[2] dans la ville de Valognes.

LISETTE, *à part*. — Quelle folle!

LA BARONNE. — Il est beau de servir de modèle à une ville comme celle-là.

MADAME TURCARET. — Je l'ai mise sur un pied! J'en ai fait un petit Paris[3] par la belle jeunesse que j'y attire.

LE MARQUIS, *avec ironie*. — Comment, un petit Paris! Savez-vous bien qu'il faut trois mois de Valognes pour achever[4] un homme de cour?

MADAME TURCARET, *à la baronne*. — Oh! je ne vis pas comme une dame de campagne, au moins. Je ne me tiens point enfermée dans un château; je suis trop faite pour la société. Je demeure en ville, et j'ose dire que ma maison est une école de politesse et de galanterie pour les jeunes gens.

LISETTE. — C'est une façon de collège pour toute la basse Normandie.

MADAME TURCARET, *à la baronne*. — On joue chez moi; on s'y rassemble pour médire; on y lit tous les ouvrages d'esprit qui se font à Cherbourg, à Saint-Lô, à Coutances, et qui valent bien les ouvrages de Vire et de Caen. J'y donne aussi quelquefois des fêtes galantes, des soupers-collations. Nous avons des cuisiniers qui ne savent faire aucun ragoût, à la vérité; mais ils tirent les viandes si à propos, qu'un tour de broche de plus ou de moins, elles seraient gâtées. **(4)**

---

1. *Taille* : façon dont est modelé le buste. (Voir lignes 2048-2049 : cette partie du corps doit être effectivement appétissante chez ce « colosse de provinciale »); 2. *Prétintailles*. Ces parures de robes, en dentelles, étaient de mode récente; 3. A rapprocher de « Si Paris avait la Canebière, Paris serait un petit Marseille » (Pagnol); 4. *Achever* : mener au terme de son éducation mondaine.

Question **4**, v. p. 115.

LE MARQUIS. — C'est l'essentiel de la bonne chère... Ma foi, vive Valognes pour le rôti!

MADAME TURCARET. — Et pour les bals, nous en donnons souvent. Que l'on s'y divertit! Cela est d'une propreté[1]! Les 2105 dames de Valognes sont les premières dames du monde pour savoir l'art de se bien masquer, et chacune a son déguisement favori. Devinez quel est le mien?

LISETTE. — Madame se déguise en Amour, peut-être?

MADAME TURCARET. — Oh! pour cela, non.

2110 LA BARONNE. — Vous vous mettez en déesse, apparemment, en Grâce?

MADAME TURCARET. — En Vénus, ma chère, en Vénus.

LE MARQUIS, *ironiquement.* — En Vénus! Ah! madame, que vous êtes bien déguisée!

2115 LISETTE, *bas.* — On ne peut pas mieux.

Scène VII. — LE CHEVALIER, LA BARONNE, MADAME TURCARET, LE MARQUIS, LISETTE.

LE CHEVALIER, *à la baronne.* — Madame, nous aurons bientôt le plus ravissant concert... *(A part, apercevant M*me *Turcaret.)* Mais que vois-je?

MADAME TURCARET, *à part.* — O ciel!

2120 LA BARONNE, *bas, à Lisette.* — Je m'en doutais bien.

LE CHEVALIER, *au marquis.* — Est-ce là cette dame dont tu m'as parlé, marquis?

LE MARQUIS. — Oui; c'est ma comtesse. Pourquoi cet étonnement?

---

1. *Propreté :* élégance.

──────── QUESTIONS ────────

4. Mme Turcaret est-elle si bête qu'on veut le croire? Il serait alors inconcevable que le Marquis, naguère, lui eût fait la moindre cour et se fût posé des questions sur sa conduite (IV, III). Comment pourrait-on interpréter, dire ses dernières répliques? (Indice, ligne 2094 : *on s'y rassemble pour médire.*) — Mais faut-il chercher de la vraisemblance dans l'apparition d'un tel personnage? — L'étude des mœurs mondaines de province après celles de Paris : analysez et confrontez-la avec ce que nous avons appris sur la capitale.

2125   LE CHEVALIER. — Oh! parbleu! je ne m'attendais pas à celui-là[1].

MADAME TURCARET, *à part*. — Quel contretemps!

LE MARQUIS, *au chevalier*. — Explique-toi, chevalier. Est-ce que tu connaîtrais ma comtesse?

LE CHEVALIER. — Sans doute : il y a huit jours que je suis
2130 en liaison avec elle.

LE MARQUIS. — Qu'entends-je? Ah! l'infidèle! l'ingrate!

LE CHEVALIER. — Et ce matin même elle a eu la bonté de m'envoyer son portrait.

LE MARQUIS. — Comment diable! elle a donc des portraits
2135 à donner à tout le monde? (5)

SCÈNE VIII. — MADAME JACOB, LA BARONNE, LE MARQUIS, LE CHEVALIER, MADAME TURCARET, LISETTE.

MADAME JACOB, *à la baronne*. — Madame, je vous apporte la garniture que j'ai promis de vous faire voir.

LA BARONNE. — Que vous prenez mal votre temps, madame Jacob! Vous me voyez en compagnie[2].

2140   MADAME JACOB. — Je vous demande pardon, madame; je reviendrai une autre fois... *(Apercevant Mme Turcaret.)* Mais, qu'est-ce que je vois? Ma belle-sœur ici! Madame Turcaret!

LE CHEVALIER. — Madame Turcaret?

LA BARONNE, *à Mme Jacob*. — Madame Turcaret?

2145   LISETTE, *à Mme Jacob*. — Madame Turcaret?

LE MARQUIS, *à part*. — Le plaisant incident!

MADAME JACOB, *à Mme Turcaret*. — Par quelle aventure, madame, vous rencontré-je en cette maison?

---

1. A ce coup-là; 2. *En compagnie* distinguée. La Baronne acceptait sans difficultés la visite et l'entretien de Mme Jacob, quand elle était seule.

─── ■ QUESTIONS ───

5. SUR LES SCÈNES VI ET VII. — Mme Turcaret : portrait psychologique d'après ces deux scènes. Est-elle entièrement ridicule? La progression d'une scène à l'autre.
— L'ironie dans ce passage.

MADAME TURCARET, *à part.* — Payons de hardiesse... *(A*
2150 *Mme Jacob.)* Je ne vous connais pas, ma bonne.

MADAME JACOB. — Vous ne connaissez pas madame Jacob?...
Tredame[1]! Est-ce à cause que depuis dix ans vous êtes séparée
de mon frère, qui n'a pu vivre avec vous, que vous feignez
de ne pas me connaître?

2155 LE MARQUIS. — Vous n'y pensez pas, madame Jacob; savez-
vous bien que vous parlez à une comtesse?

MADAME JACOB. — A une comtesse! Eh! dans quel lieu, s'il
vous plaît, est sa comté[2]? Ah! vraiment, j'aime assez ces gros[3]
airs-là!

2160 MADAME TURCARET. — Vous êtes une insolente, ma mie.

MADAME JACOB. — Une insolente, moi! je suis une insolente!...
Jour de Dieu[4]! ne vous y jouez pas! S'il ne tient qu'à dire[5]
des injures, je m'en acquitterai aussi bien que vous.

MADAME TURCARET. — Oh! je n'en doute pas : la fille d'un
2165 maréchal[6] de Domfront[7] ne doit point demeurer en reste de
sottises[8].

MADAME JACOB. — La fille d'un maréchal! Pardi! voilà une
dame bien relevée pour venir me reprocher ma naissance!
Vous avez apparemment oublié que M. Briochais, votre père,
2170 était pâtissier dans la ville de Falaise. Allez, madame la
comtesse, puisque comtesse y a, nous nous connaissons toutes
deux... Mon frère rira bien quand il saura que vous avez pris
ce nom burlesque, pour venir vous requinquer[9] à Paris. Je
voudrais, par plaisir, qu'il vînt ici tout à l'heure[10].

2175 LE CHEVALIER. — Vous pourrez avoir ce plaisir-là, madame;
nous attendons à souper M. Turcaret.

---

1. *Tredame* : juron provincial (abréviation de *Notre-Dame*). [Voir Molière, *le
Bourgeois gentilhomme*, III, v]; 2. *Sa comté.* Le mot était parfois encore employé
au féminin. Rapprochez de *Franche-Comté* ; 3. *Ces gros airs-là. Gros* était pris pour
grand dans la langue familière. Pensez à « un gros commerçant, un gros marchand » ;
4. *Jour de Dieu.* Voir Mme Pernelle dans *le Tartuffe* (I, I, vers 170); 5. *S'il ne tient
qu'à dire. Il tient à :* il dépend de. Construction elliptique ici : « Si le succès dépend
du fait de dire... »; 6. *D'un maréchal.* Le maréchal ferrait et soignait aussi les chevaux; on prêtait aux maréchaux la même grossièreté qu'aux charretiers ou aux
palefreniers; 7. *De Domfront :* dans le Bocage normand, à 56 km d'Alençon. M. Turcaret serait donc du Bocage et Madame du Cotentin; 8. En donnant ces détails,
Mme Turcaret reconnaît implicitement qu'elle sait qui est Mme Jacob; 9. *Se requinquer :* se redonner du brillant; 10. *Tout à l'heure :* immédiatement.

MADAME TURCARET, *à part*. — Aïe!

LE MARQUIS, *à Mme Jacob*. — Et vous souperez aussi avec nous, madame Jacob, car j'aime les soupers de famille.

2180 MADAME TURCARET. — Je suis au désespoir d'avoir mis le pied dans cette maison.

LISETTE, *à part*. — Je le crois bien.

MADAME TURCARET, *voulant sortir*. — Je vais sortir tout à l'heure.

2185 LE MARQUIS, *l'arrêtant*. — Vous ne vous en irez pas, s'il vous plaît, que vous n'ayez vu M. Turcaret.

MADAME TURCARET. — Ne me retenez point, monsieur le marquis, ne me retenez point.

LE MARQUIS. — Oh! palsambleu! mademoiselle Briochais, 2190 vous ne sortirez point; comptez là-dessus.

LE CHEVALIER. — Eh! marquis, cesse de l'arrêter.

LE MARQUIS. — Je n'en ferai rien. Pour la punir de nous avoir trompés tous deux, je la veux mettre aux prises avec son mari.

LA BARONNE. — Non, marquis; de grâce, laissez-la sortir.

2195 LE MARQUIS. — Prière inutile : tout ce que je puis faire pour vous, madame, c'est de lui permettre de se déguiser en Vénus, afin que son mari ne la reconnaisse pas.

LISETTE, *voyant entrer M. Turcaret*. — Ah! par ma foi! voici M. Turcaret.

2200 MADAME JACOB, *à part*. — J'en suis ravie.

MADAME TURCARET, *à part*. — La malheureuse journée!

LA BARONNE, *à part*. — Pourquoi faut-il que cette scène se passe chez moi?

LE MARQUIS, *à part*. — Je suis au comble de la joie. **(6)**

───────── **QUESTIONS** ─────────

6. SUR LA SCÈNE VIII. — Rôle du Marquis. — Pour quels motifs réels veut-il ainsi envenimer la situation? De quoi veut-il punir Mme Turcaret, en fait, ou plutôt : de quoi Lesage veut-il la punir? (ligne 2192). — Voyez comment, une fois de plus, les gens sont vaincus par leurs propres armes.

— Le Marquis et le Chevalier (voir IV, II et IV), en manigançant leurs invitations à souper, sont-ils cruels? Depuis quand ont-ils passé au nombre de ceux qui se donnent la comédie? Pourquoi ce nombre va-t-il croissant? (Suite, p. 119.)

Scène IX. — M. TURCARET, MADAME TURCARET, LA BARONNE, MADAME JACOB, LE MARQUIS, LE CHEVALIER, LISETTE.

205 M. TURCARET, *à la baronne*. — J'ai renvoyé l'huissier, madame et terminé... *(A part, en apercevant sa sœur.)* Ah! en croirai-je mes yeux? Ma sœur ici!... *(Apercevant sa femme.)* Et, qui pis est, ma femme!

LE MARQUIS. — Vous voilà en pays de connaissance, monsieur
210 Turcaret... *(Montrant Mme Turcaret.)* Vous voyez une belle comtesse dont je porte les chaînes[1] : vous voulez bien que je vous la présente, sans oublier madame Jacob?

MADAME JACOB, *à M. Turcaret*. — Ah! mon frère!

M. TURCARET. — Ah! ma sœur!... Qui diable les a amenées
215 ici?

LE MARQUIS. — C'est moi, monsieur Turcaret, vous m'avez cette obligation-là. Embrassez ces deux objets[2] chéris... Ah! qu'il paraît ému! J'admire la force du sang et de l'amour conjugal.

220 M. TURCARET, *à part*. — Je n'ose la regarder; je crois voir mon mauvais génie.

MADAME TURCARET, *à part*. — Je ne puis l'envisager[3] sans horreur.

LE MARQUIS, *à M. et à Mme Turcaret*. — Ne vous contraignez
225 point, tendres époux; laissez éclater toute la joie que vous devez sentir de vous revoir après dix années de séparation.

---

1. Expression précieuse, employée ironiquement : dont je suis le serviteur, qui est ma maîtresse; 2. *Objet* : voir page 41, ligne 394 et la note; 3. *Envisager :* regarder en face.

QUESTIONS

— Vous êtes maintenant en possession des ultimes éléments pour le faire : reconstituez la biographie de M. Turcaret.

— Montrez combien, contrairement à l'opinion de certains, l'intrigue de *Turcaret* est bien menée, et comment les apparitions, apparemment inutiles, de certains personnages, sont absolument nécessaires. Qui d'autre que Mme Jacob pouvait apporter les renseignements ou révélations concernant Turcaret et sa famille?

— Quoi qu'il en soit des qualités possibles de Mme Turcaret, voyez comment Lesage a longuement préparé sa venue. Si elle n'est pas totalement grotesque, au moins sa situation l'est-elle : montrez-le.

LA BARONNE, *à M. Turcaret*. — Vous ne vous attendiez pas, monsieur, à rencontrer ici madame Turcaret; et je conçois bien l'embarras où vous êtes. Mais pourquoi m'avoir dit que vous
2230 étiez veuf?

LE MARQUIS. — Il vous a dit qu'il était veuf? Eh! parbleu! sa femme m'a dit aussi qu'elle était veuve. Ils ont la rage tous deux de vouloir être veufs.

LA BARONNE, *à M. Turcaret*. — Parlez, pourquoi m'avez-vous
2235 trompée?

M. TURCARET, *interdit*. — J'ai cru, madame... qu'en vous faisant accroire que... je croyais être veuf... vous croiriez que... je n'aurais point de femme... *(A part.)* J'ai l'esprit troublé, je ne sais ce que je dis.

2240 LA BARONNE. — Je devine votre pensée, monsieur, et je vous pardonne une tromperie que vous avez crue nécessaire pour vous faire écouter. Je passerai même plus avant : au lieu d'en venir aux reproches je veux vous raccommoder avec Mme Turcaret.

2245 M. TURCARET. — Qui, moi! madame. Oh! pour cela, non. Vous ne la connaissez pas : c'est un démon. J'aimerais mieux vivre avec la femme du Grand Mogol[1].

MADAME TURCARET. — Ah! monsieur, ne vous en défendez pas tant. Je n'en ai pas plus d'envie que vous, au moins; et
2250 je ne viendrais point à Paris troubler vos plaisirs, si vous étiez plus exact à payer la pension que vous me faites pour me tenir en province.

LE MARQUIS, *à M. Turcaret*. — Pour la tenir en province!... Ah! monsieur Turcaret, vous avez tort; madame mérite qu'on
2255 lui paye les quartiers[2] d'avance.

MADAME TURCARET. — Il m'en est dû cinq. S'il ne me les donne pas, je ne pars point; je demeure à Paris pour le faire enrager. J'irai chez ses maîtresses faire un charivari... Et je commencerai par cette maison-ci, je vous en avertis.

2260 M. TURCARET, *à part*. — Ah! l'insolente!

LISETTE, *à part*. — La conversation finira mal.

---

1. Le Grand Mogol est, depuis Gengis Khan, souverain d'une grande partie de l'Asie. Il est, dans la mentalité populaire, le type du potentat oriental, brutal et bizarre; 2. *Quartier* : échéance trimestrielle.

LA BARONNE, *à Mme Turcaret.* — Vous m'insultez, madame.

MADAME TURCARET. — J'ai des yeux, Dieu merci! j'ai des
yeux; je vois bien tout ce qui se passe en cette maison. Mon
65 mari est la plus grande dupe...

M. TURCARET, *l'interrompant.* — Quelle impudence! Ah!
ventrebleu! coquine! sans le respect que j'ai pour la compagnie...

LE MARQUIS, *l'interrompant.* — Qu'on ne vous gêne point,
monsieur Turcaret. Vous êtes avec vos amis : usez-en librement.

70 LE CHEVALIER, *à M. Turcaret, se mettant entre lui et sa femme.*
— Monsieur...

LA BARONNE, *à Mme Turcaret.* — Songez que vous êtes chez
moi. (7)

SCÈNE X. — JASMIN, M. TURCARET, MADAME
TURCARET, LA BARONNE, MADAME JACOB,
LE MARQUIS, LE CHEVALIER, LISETTE.

JASMIN, *à M. Turcaret.* — Il y a, dans un carrosse qui vient
75 de s'arrêter à la porte, deux gentilshommes qui se disent de
vos associés; ils veulent vous parler d'une affaire importante.
(Il sort.)

M. TURCARET, *à Mme Turcaret.* — Ah! je vais revenir...
Je vous apprendrai, impudente, à respecter une maison...

80 MADAME TURCARET, *l'interrompant.* — Je crains peu vos
menaces. *(M. Turcaret sort.)* (8)

─────── QUESTIONS ───────

7. SUR LA SCÈNE IX. — Mouvement général de cette scène. Comment
a-t-elle été préparée? Le ton : de quelle manière évolue-t-il? Distinguez
dans leurs attitudes et leur langage les deux catégories de personnages
présents? Qui mène le jeu? Qui donne le ton?
— Qui devrait être atteint par le mot de *dupe* (ligne 2265)? Devant
cette affirmation, qu'allait faire Turcaret? — Quand le Chevalier s'inter-
pose, est-ce par désir d'attiser la querelle en sous main, ou a-t-il lu dans
le regard de la Baronne une réelle indignation?

8. SUR LA SCÈNE X. — Un départ de plus. Notez avec quelle rapidité,
aux pires moments, Turcaret est prêt à retourner à ses affaires. Y a-t-il
ici une raison particulière à sa précipitation? Pensez au rapport fait par
M. Rafle (IV, VII).

Scène XI. — MADAME TURCARET, LA BARONNE, MADAME JACOB, LE MARQUIS, LE CHEVALIER, LISETTE.

LE CHEVALIER, *à Mme Turcaret*. — Calmez votre esprit agité, madame; que M. Turcaret vous retrouve adoucie.

2285 MADAME TURCARET. — Oh! tous ses emportements ne m'épouvantent point.

LA BARONNE. — Nous allons l'apaiser en votre faveur.

MADAME TURCARET. — Je vous entends, madame. Vous voulez me réconcilier avec mon mari, afin que, par reconnaissance, je souffre qu'il continue à vous rendre des soins[1].

2290 LA BARONNE. — La colère vous aveugle. Je n'ai point pour objet que la réunion de vos cœurs, je vous abandonne M. Turcaret; je ne veux le revoir de ma vie.

MADAME TURCARET. — Cela est trop généreux.

LE MARQUIS, *au chevalier, en montrant la baronne*. — Puisque 2295 madame renonce au mari, de mon côté, je renonce à la femme. Allons, renonces-y aussi, chevalier. Il est beau de se vaincre soi-même. (9)

Scène XII. — FRONTIN, MADAME TURCARET, LA BARONNE, MADAME JACOB, LE MARQUIS, LE CHEVALIER, LISETTE.

FRONTIN, *à part*. — O malheur imprévu! ô disgrâce cruelle!

2300 LE CHEVALIER. — Qu'y a-t-il, Frontin?

FRONTIN. — Les associés de M. Turcaret ont mis garnison[2]

---

1. *Rendre des soins* : voir page 28, ligne 53 et la note; 2. *Ont mis garnison*. Les créanciers pouvaient établir chez le débiteur insolvable des « garnisaires » qui vivaient aux frais du débiteur. Ce système a même subsisté en matière de contribution directe jusqu'à la loi du 9 février 1877, qui l'a remplacé par la sommation avec frais.

───────── **QUESTIONS** ─────────

9. SUR LA SCÈNE XI. — Mme Turcaret est-elle si sotte qu'elle en avait l'air?

— Soulignez les traits qui font de cette fin de scène la parodie d'une tragédie d'esprit cornélien. En quoi est-ce précisément burlesque? Montrez que ce type de procédé littéraire caractérise assez bien tout à la fois le génie de Lesage et une certaine tournure d'esprit du XVIIIe siècle.

chez lui, pour deux cent mille écus que leur emporte un caissier qu'il a cautionné... Je venais ici, en diligence, pour l'avertir de se sauver; mais je suis arrivé trop tard; ses créanciers se sont déjà assurés de sa personne.

MADAME JACOB. — Mon frère, entre les mains de ses créanciers!... Tout dénaturé qu'il est, je suis touchée de son malheur. Je vais employer pour lui tout mon crédit; je sens que je suis sa sœur. *(Elle sort.)*

MADAME TURCARET. — Et moi, je vais le chercher pour l'accabler d'injures; je sens que je suis sa femme. *(Elle sort.)* **(10)**

Scène XIII. — LA BARONNE, LE MARQUIS, LE CHEVALIER, LISETTE, FRONTIN.

FRONTIN, *au chevalier.* — Nous envisagions le plaisir de le ruiner; mais la justice est jalouse de ce plaisir-là; elle nous a prévenus[1].

LE MARQUIS. — Bon! bon! Il a de l'argent de reste pour se tirer d'affaire.

FRONTIN. — J'en doute. On dit qu'il a follement dissipé des biens immenses... Mais ce n'est pas ce qui m'embarrasse à présent : ce qui m'afflige, c'est que j'étais chez lui quand ses associés y sont venus mettre garnison.

LE CHEVALIER. — Eh bien?

FRONTIN. — Eh bien! monsieur, ils m'ont aussi arrêté et fouillé, pour voir si par hasard je ne serais point chargé de quelque papier qui pût tourner au profit des créanciers... *(Montrant la baronne.)* Ils se sont saisis, à telle fin que de raison[2], du billet de madame que vous m'avez confié tantôt.

LE CHEVALIER. — Qu'entends-je? Juste ciel!

---

1. Devancés; 2. Locution elliptique du langage juridique : à toutes fins utiles.

────── **QUESTIONS** ──────

10. SUR LA SCÈNE XII. — Comment la révélation de Frontin ne surprend-elle pas le spectateur ou le lecteur attentif? La personnalité du messager n'y est-elle pas pour quelque chose? Que pouvons-nous de ce fait suspecter dans la fin de son rapport?
— Étudiez la dernière réplique de chacune des deux femmes. Quels traits de caractère s'y reflètent? En quoi la différence de traitement que leur apporte le dénouement se trouve-t-elle ainsi justifiée?

« Vous ne la connaissez pas : c'est un démon. J'aimerais mieux vivre
avec la femme du Grand Mogol. » (Acte V, scène IX.)

Nicole Maurey, Jean Davy, Georges Toussaint et Françoise Sechter,
au théâtre du Vieux-Colombier, en 1967.

FRONTIN. — Ils m'en ont pris encore un autre de dix mille francs que M. Turcaret avait donné pour l'acte solidaire, et que M. Furet venait de me remettre entre les mains.

LE CHEVALIER. — Eh! pourquoi, maraud, n'as-tu pas dit que tu étais à moi?

FRONTIN. — Oh! vraiment, monsieur, je n'y ai pas manqué. J'ai dit que j'appartenais à un chevalier; mais, quand ils ont vu les billets, ils n'ont pas voulu me croire[1].

LE CHEVALIER. — Je ne me possède plus; je suis au désespoir!

LA BARONNE. — Et moi, j'ouvre les yeux. Vous m'avez dit que vous aviez chez vous l'argent de mon billet. Je vois par là que mon brillant n'a point été mis en gage; et je sais ce que je dois penser du beau récit que Frontin m'a fait de votre fureur[2] d'hier au soir. Ah! chevalier, je ne vous aurais pas cru capable d'un pareil procédé... *(Regardant Lisette.)* J'ai chassé Marine parce qu'elle n'était pas dans vos intérêts, et je chasse Lisette parce qu'elle y est... Adieu; je ne veux de ma vie entendre parler de vous. *(Elle se retire dans l'intérieur de son appartement.)* **(11)**

SCÈNE XIV. — LE MARQUIS, LE CHEVALIER, FRONTIN, LISETTE.

LE MARQUIS, *riant, au chevalier, qui a l'air tout déconcerté.* — Ah! ah! ma foi, chevalier, tu me fais rire. Ta consternation me divertit... Allons souper chez le traiteur et passer la nuit à boire.

FRONTIN, *au chevalier.* — Vous suivrai-je, monsieur?

LE CHEVALIER. — Non; je te donne congé. Ne t'offre plus jamais à mes yeux. *(Il sort avec le marquis.)*

LISETTE. — Et nous, Frontin, quel parti prendrons-nous?

1. On ne pouvait croire qu'un cadet de famille fût si riche; 2. *Fureur :* égarement, folie (voir I, II).

─────── **QUESTIONS** ───────

11. SUR LA SCÈNE XIII. — La cascade de catastrophes est-elle morale? Comment est-elle exigée par le reste de la pièce? (Liens existant entre les personnages.)
— La sortie de la Baronne : comment sauve-t-elle la face et sort-elle en beauté? Est-elle bien placée pour faire des reproches au Chevalier?

FRONTIN. — J'en ai un à te proposer. Vive l'esprit, mon
2355 enfant! Je viens de payer d'audace : je n'ai point été fouillé.

LISETTE. — Tu as les billets?

FRONTIN. — J'en ai déjà touché l'argent; il est en sûreté;
j'ai quarante mille francs. Si ton ambition veut se borner à
cette petite fortune, nous allons faire souche¹ d'honnêtes gens.

2360 LISETTE. — J'y consens.

FRONTIN. — Voilà le règne de M. Turcaret fini; le mien va
commencer. (12) (13)

Son projet s'achève.

---

1. *Faire souche :* nous marier et nos enfants pourront être d'honnêtes gens, c'est-à-
dire que leur fortune leur assurera ce titre. Frontin ne fait pas un vœu d'honnêteté
(voir la dernière réplique).

─────── **QUESTIONS** ───────

12. SUR LA SCÈNE XIV. — Le dernier rebondissement était-il inattendu?
Expliquez précisément votre opinion.
— Peut-on dire que le dénouement apporte une satisfaction morale
entière? Comment se marque le pessimisme de Lesage moralisateur?

13. SUR L'ENSEMBLE DE L'ACTE V. — Est-on sûr du sort définitif de
Turcaret? Notez que Lesage le fait disparaître avant la fin. — De qui
nous présente-t-on l'avenir? — Qui a été ou est puni? Qui plaint-on?
— Sens de cette élimination successive des personnages? Où vont-ils?
Avons-nous envie de le savoir?
— Le succès de Frontin et Lisette est-il « moral »? Étudiez pourquoi
et quand Lesage a éloigné Frontin du théâtre des opérations, pendant
que mille autres venaient, sans s'en douter, servir ses desseins.
— Les personnages qui gravitaient autour de Turcaret se proposaient
trois buts : — le plumer; — le confondre ou le réduire à néant; — se
donner la comédie. Comment et par qui ces trois buts ont-ils été réalisés
dans le dernier acte? (Étudiez notamment Frontin.)
— Si vous étiez metteur en scène, quand feriez-vous tomber le rideau?
Dans quelles teintes joueriez-vous cette fin?

1. L'ENVERS DU GRAND SIÈCLE

1.1. FÉNELON, LETTRE À LOUIS XIV (1694)

Cette lettre ne fut jamais envoyée au roi, mais elle a le double mérite de révéler des faits importants et de montrer son auteur sous un jour nouveau.

La personne, Sire, qui prend la liberté de vous écrire cette lettre n'a aucun intérêt en ce monde. Elle ne l'écrit ni par chagrin, ni par ambition, ni par envie de se mêler des grandes affaires. Elle vous aime sans être connue de vous ; elle regarde Dieu en votre personne. Avec toute votre puissance, vous ne pouvez lui donner aucun bien qu'elle désire, et il n'y a aucun mal qu'elle ne souffrît de bon cœur pour vous faire connaître les vérités nécessaires à votre salut. Si elle vous parle fortement, n'en soyez pas étonné, c'est que la vérité est libre et forte. Vous n'êtes guère accoutumé à l'entendre. Les gens accoutumés à être flattés prennent aisément pour chagrin, pour âpreté et pour excès, ce qui n'est que la vérité toute pure. C'est la trahir que de ne pas vous la montrer dans toute son étendue. Dieu est témoin que la personne qui vous parle le fait avec un cœur plein de zèle, de respect, de fidélité et d'attendrissement sur tout ce qui regarde votre véritable intérêt.

Vous êtes né, Sire, avec un cœur droit et équitable ; mais ceux qui vous ont élevé ne vous ont donné pour science de gouverner que la défiance, la jalousie, l'éloignement de la vertu, la crainte de tout mérite éclatant, le goût des hommes souples et rampants, la hauteur et l'attention à votre seul intérêt.

Depuis environ trente ans, vos principaux ministres, ont ébranlé et renversé toutes les anciennes maximes de l'Etat, pour faire monter jusqu'au comble votre autorité, qui était devenue la leur parce qu'elle était dans leurs mains. On n'a plus parlé de l'Etat ni des règles ; on n'a parlé que du Roi et de son bon plaisir. On a poussé vos revenus et vos dépenses à l'infini. On vous a élevé jusqu'au ciel, pour avoir effacé, disait-on, la grandeur de tous vos prédécesseurs ensemble, c'est-à-dire pour avoir appauvri la France entière, afin d'introduire à la cour un luxe monstrueux et incurable. Ils ont voulu vous élever sur les ruines de toutes les conditions de l'Etat, comme si vous pouviez être grand en ruinant tous vos sujets, sur qui votre grandeur est fondée. Il est vrai que vous avez été jaloux de l'autorité, peut-être même trop, dans les choses extérieures ; mais, pour le fond, chaque ministre a été le maître dans l'étendue de son administration. Vous avez cru gouverner, parce que vous avez réglé les limites entre ceux qui gouvernaient. Ils ont bien montré au public leur puissance, et on ne l'a que trop sentie. Ils ont été durs, hautains, injustes, violents, de mauvaise foi. Ils n'ont connu d'autre règle, ni pour l'administration du dedans de l'Etat, ni pour les négociations étrangères, que de menacer, que d'écraser, que d'anéantir tout ce qui leur résistait. Ils ne vous ont parlé que pour écarter de vous tout mérite qui pouvait leur faire ombrage. Ils vous ont accoutumé à recevoir sans cesse des louanges outrées qui vont jusqu'à l'idolâtrie, et que vous auriez dû, pour votre honneur, rejeter avec indignation. On a rendu votre nom odieux, et toute la nation française insupportable à tous nos voisins. On n'a conservé aucun ancien allié, parce qu'on n'a voulu que des esclaves. On a causé depuis plus de vingt ans des guerres sanglantes. Par exemple, Sire, on fit entreprendre à Votre Majesté, en 1672, la guerre de Hollande pour votre gloire et pour punir les Hollandais, qui avaient fait quelque raillerie, dans le chagrin où on les avait mis en troublant les règles de commerce établies par le cardinal de Richelieu. Je cite en particulier cette guerre, parce qu'elle a été la source de toutes les autres. Elle n'a eu pour fondement qu'un motif de gloire et de vengeance, ce qui ne peut jamais rendre une guerre juste; d'où il s'ensuit que toutes les frontières que vous avez étendues par cette guerre, sont injustement acquises dans l'origine. Il est vrai, Sire, que les traités de paix subséquents semblent couvrir et réparer cette injustice, puisqu'ils vous ont donné les places conquises; mais une guerre injuste n'en est pas moins injuste, pour être heureuse. Les traités de paix signés par les vaincus ne sont point signés librement. On signe le couteau sur la gorge; on signe malgré soi, pour éviter de plus grandes pertes; on signe comme on donne sa bourse quand il la faut donner ou mourir. Il faut donc, Sire, remonter jusqu'à cette origine de la guerre de Hollande, pour examiner devant Dieu toutes vos conquêtes.

Il est inutile de dire qu'elles étaient nécessaires à votre Etat : le bien d'autrui ne nous est jamais nécessaire. Ce qui nous est véritablement nécessaire, c'est d'observer une exacte justice. Il ne faut pas même prétendre que vous soyez en droit de retenir toujours certaines places, parce qu'elles servent à la sûreté de vos frontières. C'est à vous à chercher cette sûreté par de bonnes alliances, par votre modération, ou par des places que vous pouvez fortifier derrière ; mais enfin, le besoin de veiller à notre sûreté ne nous donne jamais un titre de prendre la terre de notre voisin. Consultez là-dessus des gens instruits et droits ; ils vous diront que ce que j'avance est clair comme le jour.

En voilà assez, Sire, pour reconnaître que vous avez passé votre vie entière hors du chemin de la vérité et de la justice, et par conséquent hors de celui de l'Evangile. Tant de troubles affreux qui ont désolé toute l'Europe depuis plus de vingt ans, tant de sang répandu, tant de scandales commis, tant de provinces saccagées, tant de villes et de villages mis en cendres, sont les funestes suites de cette guerre de 1672, entreprise pour votre gloire et pour la confusion des faiseurs de gazettes et de médailles de Hollande. Examinez sans vous flatter, avec des gens de bien si vous pouvez garder tout ce que vous possédez en conséquence des traités auxquels vous avez réduit vos ennemis par une guerre si mal fondée.

Elle est encore la vraie source de tous les maux que la France souffre. Depuis cette guerre, vous avez toujours voulu donner la paix en maître, et imposer les conditions, au lieu de les régler avec équité et modération. Voilà ce qui fait que la paix n'a pu durer. Vos ennemis, honteusement accablés, n'ont songé qu'à se relever et qu'à se réunir contre vous. Faut-il s'en étonner ? vous n'avez pas même demeuré dans les termes de cette paix que vous aviez donnée avec tant de hauteur. En pleine paix, vous avez fait la guerre et des conquêtes prodigieuses. Vous avez établi une chambre des réunions, pour être tout ensemble juge et partie : c'était ajouter l'insulte et la dérision à l'usurpation et à la violence. Vous avez cherché dans le traité de Westphalie des termes équivoques pour surprendre Strasbourg. Jamais aucun de vos ministres n'avait osé, depuis tant d'années, alléguer ces termes dans aucune négociation, pour montrer que vous eussiez la moindre prétention sur cette ville. Une telle conduite a réuni et animé toute l'Europe contre vous. Ceux mêmes qui n'ont pas osé se déclarer ouvertement souhaitent du moins avec impatience votre affaiblissement et votre humiliation, comme la seule ressource pour la liberté et pour le repos de toutes les nations chrétiennes. Vous qui pouviez, Sire, acquérir tant de gloire solide et paisible à être le père de vos sujets et l'arbitre de vos voisins, on vous a rendu l'ennemi commun de vos voisins, et on vous expose à passer pour un maître dur dans votre royaume.

Le plus étrange effet de ces mauvais conseils est la durée de la ligue formée contre vous. Les alliés aiment mieux faire la guerre avec perte que de conclure la paix avec vous, parce qu'ils sont persuadés, sur leur propre expérience, que cette paix ne serait pas une paix véritable, que vous ne la tiendriez non plus que les autres, et que vous vous en serviriez, pour accabler séparément sans peine chacun de vos voisins dès qu'ils se seraient désunis. Ainsi, plus vous êtes victorieux, plus ils vous craignent et se réunissent pour éviter l'esclavage dont ils se croient menacés. Ne pouvant vous vaincre, ils prétendent du moins vous épuiser à la longue. Enfin ils n'espèrent plus de sûreté avec vous, qu'en vous mettant dans l'impuissance de leur nuire. Mettez-vous, Sire, un moment en leur place, et voyez ce que c'est que d'avoir préféré son avantage à la justice et à la bonne foi.

Cependant vos peuples, que vous devriez aimer comme vos enfants, et qui ont été jusqu'ici si passionnés pour vous, meurent de faim. La culture des terres est presque abandonnée, les villes et la campagne se dépeuplent ; tous les métiers languissent et ne nourrissent plus les ouvriers. Tout commerce est anéanti. Par conséquent vous avez détruit la moitié des forces réelles du dedans de votre Etat, pour faire et pour défendre de vaines conquêtes au dehors. Au lieu de tirer de l'argent de ce pauvre peuple, il faudrait lui faire l'aumône et le nourrir. La France entière n'est plus qu'un grand hôpital désolé et sans provision. Les magistrats sont avilis et épuisés. La noblesse, dont tout le bien est en décret, ne vit que de lettres d'Etat. Vous êtes importuné de la foule des gens qui demandent et qui murmurent. C'est vous-même, Sire, qui vous êtes attiré tous ces embarras ; car, tout le royaume ayant été ruiné, vous avez tout entre vos mains, et personne ne peut plus vivre que de vos dons. Voilà ce grand royaume si florissant sous un roi qu'on nous dépeint tous les jours comme les délices du peuple, et qui le serait en effet si les conseils flatteurs ne l'avaient point empoisonné.

Le peuple même (il faut tout dire), qui vous a tant aimé, qui a eu tant de confiance en vous, commence à perdre l'amitié, la confiance, et même le respect. Vos victoires et vos conquêtes ne le réjouissent plus ; il est plein d'aigreur et de désespoir. La sédition s'allume peu à peu de toutes parts. Ils croient que vous n'avez aucune pitié de leurs maux, que vous n'aimez que votre autorité et votre gloire. Si le Roi, dit-on, avait un cœur de père pour son peuple, ne mettrait-il pas plutôt sa gloire à leur donner du pain, et à les faire respirer après tant de maux, qu'à garder quelques places de la frontière, qui causent la guerre ? Quelle réponse à cela, Sire ? Les émotions populaires, qui étaient inconnues depuis si longtemps, deviennent fréquentes. Paris même, si près de vous, n'en est pas exempt. Les magistrats sont contraints de tolérer l'insolence des mutins, et de faire couler sous main quelque monnaie pour les apaiser ; ainsi on paye ceux qu'il faudrait punir. Vous êtes réduit à la honteuse et déplorable extrémité, ou de laisser la sédition impunie et de l'accroître par cette impunité, ou de faire massacrer avec inhumanité des peuples que vous mettez au désespoir en leur arrachant, par vos impôts pour cette guerre, le pain qu'ils tâchent de gagner à la sueur de leurs visages.

Mais, pendant qu'ils manquent de pain, vous manquez vous-même d'argent, et vous ne voulez pas voir l'extrémité où vous êtes réduit. Parce que vous avez toujours été heureux, vous ne pouvez vous imaginer que vous cessiez jamais de l'être.

Vous craignez d'ouvrir les yeux ; vous craignez d'être réduit à rabattre quelque chose de votre gloire. Cette gloire, qui endurcit votre cœur, vous est plus chère que la justice, que votre propre repos, que la conservation de vos peuples, qui périssent tous les jours de maladies causées par la famine, enfin que votre salut éternel incompatible avec cette idole de gloire.

Voilà, Sire, l'état où vous êtes. Vous vivez comme ayant un bandeau fatal sur les yeux ; vous vous flattez sur les succès journaliers, qui ne décident rien, et vous n'envisagez point d'une vue générale le gros des affaires, qui tombe insensiblement sans ressource. Pendant que vous prenez, dans un rude combat, le champ de bataille et le canon de l'ennemi, pendant que vous forcez les places, vous ne songez pas que vous combattez sur un terrain qui s'enfonce sous vos pieds, et que vous allez tomber malgré vos victoires.

Tout le monde le voit et personne n'ose vous le faire voir. Vous le verrez peut-être trop tard. Le vrai courage consiste à ne se point flatter, et à prendre un parti ferme sur la nécessité. Vous ne prêtez volontiers l'oreille, Sire, qu'à ceux qui vous flattent de vaines espérances. Les gens que vous estimez les plus solides sont ceux que vous craignez et que vous évitez le plus. Il faudrait aller au devant de la vérité puisque vous êtes roi, presser les gens de vous la dire sans adoucissement, et encourager ceux qui sont trop timides. Tout au contraire, vous ne cherchez qu'à ne point approfondir ; mais Dieu saura bien enfin lever le voile qui vous couvre les yeux, et vous montrer ce que vous évitez de voir. Il y a longtemps qu'il tient son bras levé sur vous ; mais il est lent à vous frapper, parce qu'il a pitié d'un prince qui a été toute sa vie obsédé de flatteurs, et parce que, d'ailleurs, vos ennemis sont aussi les siens. Mais il saura bien séparer sa cause juste d'avec la vôtre, qui ne l'est pas, et vous humilier pour vous convertir ; car vous ne serez chrétien que dans l'humiliation. Vous n'aimez point Dieu ; vous ne le craignez même que d'une crainte d'esclave ; c'est l'enfer, et non pas Dieu, que vous craignez. Votre religion ne consiste qu'en superstitions, en petites pratiques superficielles. Vous êtes comme les Juifs dont Dieu dit : *Pendant qu'ils m'honorent des lèvres, leur cœur est loin de moi.* Vous êtes scrupuleux sur des bagatelles, et endurci sur des maux terribles. Vous n'aimez que votre gloire et votre commodité. Vous rapportez tout à vous, comme si vous étiez le Dieu de la terre, et que tout le reste n'eût été créé que pour vous être sacrifié. C'est, au contraire, vous que Dieu n'a mis au monde que pour votre peuple. Mais, hélas ! vous ne comprenez point ces vérités ; comment les goûteriez-vous ? Vous ne connaissez point Dieu, vous ne l'aimez point, vous ne le priez point du cœur, et vous ne faites rien pour le connaître. Vous avez un archevêque corrompu, scandaleux, incorrigible, faux, malin, artificieux, ennemi de toute vertu, et qui fait gémir tous les gens de bien. Vous vous en accommodez, parce qu'il ne songe qu'à vous plaire, par ses flatteries. Il y a plus de vingt ans qu'en prostituant son honneur, il jouit de votre confiance. Vous lui livrez les gens de bien, vous lui laissez tyranniser l'Eglise, et nul prélat vertueux n'est traité aussi bien que lui.

Pour votre confesseur, il n'est pas vicieux, mais il craint la solide vertu, et il n'aime que les gens profanes et relâchés; il est jaloux de son autorité, que vous avez poussée au delà de toutes les bornes. Jamais confesseurs des rois n'avaient fait seuls les évêques, et décidé de toutes les affaires de conscience. Vous êtes seul en France, Sire, à ignorer qu'il ne sait rien, que son esprit est court et grossier, et qu'il ne laisse pas d'avoir son artifice avec cette grossièreté d'esprit. Les jésuites mêmes le méprisent et sont indignés de le voir si facile à l'ambition ridicule de sa famille. Vous avez fait d'un religieux un ministre d'Etat. Il ne se connaît point en hommes, non plus qu'en autre chose. Il est la dupe de tous ceux qui le flattent et lui font de petits présents. Il ne doute ni n'hésite sur aucune question difficile. Un autre très droit et très éclairé n'oserait décider seul. Pour lui, il ne craint que d'avoir à délibérer avec des gens qui sachent les règles. Il va toujours hardiment, sans craindre de vous égarer; il penchera toujours au relâchement et à vous entretenir dans l'ignorance. Du moins il ne penchera aux partis conformes aux règles que quand il craindra de vous scandaliser. Ainsi, c'est un aveugle qui en conduit un autre, et, comme dit Jésus-Christ, *ils tomberont tous deux dans la fosse.*

Votre archevêque et votre confesseur vous ont jeté dans les difficultés de l'affaire de la régale, dans les mauvaises affaires de Rome; ils vous ont laissé engager par M. de Louvois dans celle de Saint-Lazare, et vous auraient laissé mourir dans cette injustice, si M. de Louvois eût vécu plus que vous.

On avait espéré, Sire, que votre conseil vous tirerait de ce chemin si égaré; mais votre conseil n'a ni force ni vigueur pour le bien. Du moins Mme de M... et M. le D. de B... devaient-ils se servir de votre confiance en eux pour vous détromper; mais leur faiblesse et leur timidité les déshonorent et scandalisent tout le monde. La France est aux abois; qu'attendent-ils pour vous parler franchement; que tout soit perdu? Craignent-ils de vous déplaire? ils ne vous aiment donc pas; car il faut être prêt à fâcher ceux qu'on aime, plutôt que de les flatter ou de les trahir par son silence. A quoi sont-ils bons, s'ils ne vous montrent pas que vous devez resti- tuer les pays qui ne sont pas à vous, préférer la vie de vos peuples à une fausse gloire, réparer les maux que vous avez faits à l'Eglise, et songer à devenir un vrai chrétien avant que la mort vous surprenne ? Je sais bien que, quand on parle avec cette liberté chrétienne, on court risque de perdre la faveur des rois ; mais votre faveur leur est-elle plus chère que votre salut ? Je sais bien aussi qu'on doit vous plaindre, vous consoler, vous soulager, vous parler avec zèle, douceur et respect ; mais enfin il faut dire la vérité. Malheur, malheur à eux s'ils ne la disent pas, et malheur à vous si vous n'êtes pas digne de l'entendre ! Il est honteux qu'ils aient votre confiance sans fruit depuis tant de temps. C'est à eux à se retirer si vous êtes trop ombrageux et si vous ne voulez que des flatteurs autour de vous. Vous demanderez peut-être, Sire, qu'est-ce qu'ils doivent vous dire ; le voici : ils doivent vous représenter qu'il faut vous humilier sous la puissante main de Dieu, si vous ne voulez qu'il vous humilie ; qu'il faut demander la paix, et expier par cette honte toute la gloire dont vous avez fait votre idole ; qu'il faut rejeter les conseils injustes des politiques flatteurs ; qu'enfin il faut rendre au plus tôt à vos ennemis, pour sauver l'Etat, des conquêtes que vous ne pouvez d'ailleurs retenir sans injustice. N'êtes-vous pas trop heureux, dans vos malheurs, que Dieu fasse finir les prospérités qui vous ont aveuglé, et qu'il vous contraigne de faire des restitutions essentielles à votre salut, que vous n'auriez jamais pu vous résoudre à faire dans un état paisible et triomphant ?

La personne qui vous dit ces vérités, Sire, bien loin d'être contraire à vos intérêts, donnerait sa vie pour vous voir tel que Dieu vous veut, et elle ne cesse de prier pour vous.

1.2. LA MISÈRE À L'ÉPOQUE DE *TURCARET*

Dans l'élection de Vézelay, le commun du peuple boit rarement du vin, ne mange pas trois fois de la viande en un an, et use peu de sel ; il ne faut donc pas s'étonner si des peuples mal nourris ont si peu de force. A quoi il faut ajouter que ce qu'ils souffrent de la nudité y contribue beaucoup, les trois quarts (des enfants) n'étant vêtus, hiver comme été, que de toile à demi pourrie et déchirée, et chaussés de sabots, dans lesquels ils ont le pied nu toute l'année. Que si quelqu'un d'eux a des souliers, il ne les met que les jours de fête et les dimanches. Comme on ne peut guère pousser la misère plus loin, elle ne manque pas aussi de produire les effets qui lui sont ordinaires, qui sont : premièrement de rendre les peuples faibles et malsains, spécialement les enfants, dont il en meurt beaucoup par défaut de bonne nourriture ; secondement les hommes faineants et découragés, comme gens persuadés que du fruit de leur travail, il n'y aura que la moindre et la plus mauvaise partie qui tourne à leur profit ; troisièmement, menteurs, larrons, gens de mauvaise foi, toujours prêts à jurer faux pourvu qu'on les paie, et à s'enivrer sitôt qu'ils peuvent avoir de quoi. Voilà le caractère du bas peuple.

Vauban,
la *Dîme royale* (1707).

L'année présente 1709 a été l'année de la colère de Dieu... Ce cruel hiver commença le 2 janvier 1709 par une pluie qui dura jusqu'au 6, suivie d'un vent de bise si froid qu'en moins de deux heures, le ruisseau de la ville fut gelé comme dans le plus grand hiver. L'écorce des arbres, amollie par le soleil et la pluie, fut pénétrée de ce terrible froid qui fit périr également tous les arbres fruitiers aussi bien en plein vent qu'en espaliers, de même que les vieilles vignes. Le vent souffla avec la même impétuosité du 6 au 26. En quatre jours le Rhône et la Saône furent gelés jusqu'au fond, les puits et les fontaines jusqu'à leur source. Les chênes des forêts se fendirent, les voyageurs mouraient dans la campagne, le bétail dans les étables, les bêtes fauves dans les bois, presque tous les petits oiseaux et les vins gelés dans les caves. On faisait des feux publics pour chauffer les pauvres. Dans le milieu d'avril la terre était encore gelée à fond et répandait une odeur puante qui étonnait. Enfin on n'avait jamais rien vu de si affreux...

Lors donc qu'on vit les blés morts, les peuples effrayés coururent partout acheter ce qui leur manquait pour leur subsistance et l'ensemencement de leurs terres. Les pauvres languissaient, les artisans se désespéraient, des plaintes, des murmures et des lamentations on arrivait aux menaces d'égorger les magistrats et les enharreurs de blés. A Beaune, la Chambre de Ville s'adjoignit un conseil de douze personnes prises dans tous les ordres, dans le but de trouver les moyens les plus prompts pour arrêter les séditions et assurer les subsistances. L'Intendant consulté prescrivit à son subdélégué de procéder sans retard à une visite générale dans toute l'étendue du baillage chez les particuliers afin de s'assurer de la quantité de blé en réserve avec défense d'en rien distraire sous peine de punition corporelle. Tandis que le subdélégué parcourait son arrondissement, la mairie de la ville agissait de même dans la ville et la banlieue. Elle obtint ensuite de l'Intendant la permission d'établir des marchés dans la province pour la ville de Beaune, d'emprunter pour payer les grains et l'injonction aux habitants de la campagne de conduire au marché de Beaune le superflu de leurs grains pour y être vendus, à peine de 1 000 livres d'amende. Ces mesures ramenèrent la tranquillité dans les esprits...

Ces diverses mesures rigoureusement suivies, si elles procurèrent aux habitants de Beaune un soulagement relatif, ne les préservèrent malheureusement pas des maladies contagieuses causées par la misère générale. Le fléau, dont on ne dit pas le nom, commença à Mâcon où s'étaient abattus tous les pauvres du Charollais. De mai à juillet, il emporta 1 200 personnes. Dans l'intervalle, des marchands de cette ville venus à la foire de Chalon y apportèrent la contagion, qui se développa rapidement au milieu de pauvres mourant de faim et sans secours et dont les corps sans sépulture empoisonnaient l'air. Durant les quatre mois qu'elle sévit dans cette ville, plus de 2 000 personnes succombèrent. Dijon fut aussi maltraité, l'Autunois et le Charollais furent purgés de leurs pauvres. Ces malheureux affamés se traînaient par les chemins, mouraient au coin des buissons, tandis que d'autres vivaient de mauvais pain et de fougères séchées au four, ce qui causa une mortalité si terrible que la plupart des villages devinrent déserts.

J. Garnier,
Annuaire départemental de la Côte-d'Or.

1.3. LES MONNAIES EN 1709

Il est impossible de donner une équivalence en francs actuels des monnaies auxquelles il est fait allusion dans la pièce. Les seules références que l'on possède donnent des équivalences en francs-or. Quant à donner une idée des sommes manipulées dans la pièce par rapport au train de vie actuel, c'est également impossible, étant donné qu'il n'y avait pas de « niveau de vie moyen » en 1709 — ce qui est bien la première donnée sociologique qui ressort de *Turcaret !* On peut penser néanmoins que les sommes indiquées sont énormes, ce qui explique en partie les ascensions foudroyantes de Turcaret et de ses émules, comme ce laquais Frontin, qui devient commis à son tour, et laisse présager que sa fortune ne fait que commencer. Le train de vie des nobles devait être considérable pour expliquer les « économies » gigantesques des domestiques, dans une « maison » où les patrons ne surveillent pas leurs dépenses et laissent « tout aller sens dessus dessous » (acte II, scène première).

D'autre part, les fluctuations monétaires, la multiplicité des monnaies et leur cours variable selon les provinces, les douanes intérieures peuvent expliquer comment les fermiers généraux s'enrichissaient sans qu'on s'en aperçoive.

Selon le metteur en scène de la Comédie de l'Ouest, le total des cadeaux de Turcaret à la Baronne, seulement pendant la pièce, équivaudrait à 210 000 F ; Frontin et Lisette amassent

140 000 F et, lorsque Turcaret (acte III, scène x) sort une bourse de 60 pistoles, cela prouverait qu'il a comme argent de poche 1 800 F.

En 1709.

— La livre représente un poids (qui a beaucoup varié au cours des siècles) de 0,38 g d'or ou 5,86 g d'argent ;
— La livre (ou franc) se divise en 20 sols, et le sol en 12 deniers ;
— La pistole vaut 10 livres ;
— Le louis est une pièce d'or. En 1709, il vaut 16,50 livres ;
— L'écu n'est plus, sous Louis XIV, qu'une monnaie d'argent, égale à 3 livres.

Si l'on admet, sous réserves, que la livre (1709) vaut 3 F (1966), on a :

Pistole   30 F ;

Louis   50 F environ ;

Ecu   9 F ;

Sol   15 centimes ;

Denier   1,25 centime ;

Le diamant de la Baronne,	selon son estimation	15 000 F ;
	selon le Marquis	25 000 F ;
La dette au jeu du Chevalier		9 000 F ;
Le billet au porteur		90 000 F ;
Bris de glaces, etc.		9 000 F ;
Réparations de ce bris		30 000 F.

Voici, d'après Vauban, ce qu'était en 1707 le budget annuel d'une famille de quatre personnes dont le chef est ouvrier agricole :

17 kg de sel	8 livres 16 sols ;
Une tonne de méteil (mélange de céréales)	60 livres ;
Loyer, entretien et autres nourritures	15 livres 4 sols ;
Impôts	entre 3 et 6 livres.

La ration de méteil correspond par tête et par jour à 400 g de pain et 400 g de pain de seigle.

Il n'est pas même besoin de savoir ce que vaudrait maintenant une livre : rappelons-nous simplement que la Baronne estime son diamant à 500 pistoles, donc 5 000 livres, et que le Marquis l'évaluera à 500 louis, ce qui en 1709 fait 8 250 livres. Le comble, c'est que la Baronne livre ce diamant aux mains du Chevalier sans même se préoccuper d'une erreur d'estimation pareille !

2. LES FERMIERS GÉNÉRAUX

Depuis Philippe le Bel probablement, les impôts indirects sont perçus par des financiers ou banquiers, qui paient un bail (ferme) à l'Etat — et, bien sûr, lui font, en cas de besoin, des avances. C'est un peu le système des publicains dans l'Empire romain.

En 1681, Colbert concentre toutes les fermes en une Compagnie de quarante financiers choisis par le contrôleur général des Finances. Le bail, ou traité, est cédé pour six ans par la Compagnie à un traitant cautionné par celle-ci. Le traitant touche un fixe de 4 000 livres par an, mais il s'enrichit incroyablement, parce que, pratiquement, il est libre de lever les impôts comme il veut, de prêter à usure, etc.

Dans chaque généralité (circonscription financière) de France, la Compagnie est représentée par un ou plusieurs directeurs (appointés trois ou quatre fois plus que les traitants), ayant sous leurs ordres toute une hiérarchie, au bas de laquelle étaient les commis. Etablis dans les villes et dans les bourgs, tous ces gabelous, douaniers, contrôleurs, etc., sont en contact direct avec la population, et très mal vus. Ils sont exempts d'impôts et autres charges ; ils sont soutenus par la force armée et les tribunaux. Tout percepteur, traitant ou fermier, peut recevoir le surnom ancien de partisan.

2.1. SAMUEL BERNARD, VU PAR SAINT-SIMON

◆ La promenade de Marly.

Je ne veux pas omettre une bagatelle dont je fus témoin à cette promenade où le Roi montra ses jardins à Marly. [...] Le Roi, sur les cinq heures, sortit à pied, et passa devant tous les pavillons du côté de Marly ; Bergeyck sortit de celui de Chamillart pour se mettre à sa suite. Au pavillon suivant, le Roi s'arrêta : c'était celui de Desmarets qui se présenta avec le fameux banquier Samuel Bernard, qu'il avait mandé pour dîner et travailler avec lui. C'était le plus riche de l'Europe, et qui faisait le plus gros et le plus assuré commerce d'argent ; il sentait ses forces, il y voulait des ménagements proportionnés, et les contrôleurs généraux, qui avaient bien plus souvent affaire de lui qu'il n'avait d'eux, le traitaient avec des égards et des distinctions fort grandes. Le Roi dit à Desmarets qu'il était bien aise de le voir avec M. Bernard, puis, tout de suite, dit à ce dernier : « Vous êtes bien homme à n'avoir jamais vu Marly. Venez le voir à ma promenade, je vous rendrai après à Desmarets. » Bernard suivit, et, pendant qu'elle dura, le Roi ne parla qu'à Bergeyck et à lui, et autant à lui qu'à l'autre, les menant partout et leur montrant tout également avec les grâces qu'il savait si bien employer quand il avait dessein de combler. J'admirais, et je n'étais pas le seul, cette espèce de prostitution du Roi, si avare de ses paroles, à un homme de l'espèce de Bernard. Je ne fus pas longtemps sans en apprendre la cause, et j'admirai alors où les plus grands rois se trouvent quelquefois réduits.

Desmarets ne savait plus de quel bois faire flèche ; tout manquait, et tout était épuisé. Il avait été à Paris frapper à toutes les portes : on avait si souvent et si nettement manqué à toutes sortes d'engagements pris, et aux paroles les plus précises, qu'il ne trouva partout que des excuses et des portes fermées. Bernard, comme les autres, ne voulut rien avancer : il lui était beaucoup dû. En vain Desmarets lui représenta l'excès des besoins les plus pressants, et l'énormité des gains qu'il avait faits avec le Roi ; Bernard demeura inébranlable. Voilà le Roi et le ministre cruellement embarrassés.

Desmarets dit au Roi que, tout bien examiné, il n'y avait que Bernard qui pût le tirer d'affaire, parce qu'il n'était pas douteux qu'il n'eût les plus gros fonds et partout, qu'il n'était question que de vaincre sa volonté, et l'opiniâtreté même insolente qu'il lui avait montrée ; que c'était un homme fou de vanité, capable d'ouvrir sa bourse si le Roi daignait le flatter. Dans sa nécessité si pressante des affaires, le Roi y consentit, et, pour tenter ce secours avec moins d'indécence et sans risquer de refus, Desmarets proposa l'expédient que je viens de raconter. Bernard en fut la dupe : il revint de la promenade du Roi chez Desmarets tellement enchanté que, d'abordée, il lui dit qu'il aimait mieux risquer sa ruine que de laisser dans l'embarras un prince qui venait de le combler, et dont il se mit à faire des éloges avec enthousiasme. Desmarets en profita sur-le-champ et en tira beaucoup plus qu'il ne s'était proposé.

Samuel Bernard fit banqueroute en 1709.

◆ La banqueroute de Samuel Bernard.

L'hiver, comme je l'ai déjà remarqué, avoit été terrible, et tel que, de mémoire d'homme, on se souvenoit d'aucun qui en eût approché. Une gelée qui dura près de deux mois de la même force avoit, dès ses premiers jours, rendu les rivières solides jusqu'à leur embouchure, et les bords de la mer capables de porter des charrettes qui y voituroient les plus grands fardeaux. Un faux dégel fondit les neiges qui avoient couvert la terre pendant ce temps-là ; il fut suivi d'un subit renouvellement de gelée aussi forte que la précédente trois autres semaines durant. La violence de toutes les deux fut telle, que l'eau de la reine d'Hongrie, les élixirs les plus forts et les liqueurs les plus spiritueuses cassèrent leurs bouteilles dans les armoires de chambres à feu et environnées de tuyaux de cheminées, dans plusieurs appartements du château de Versailles, où j'en vis plusieurs ; et, soupant chez le duc de Villeroy, dans sa petite chambre à coucher, les bouteilles sur le manteau de la cheminée, sortant de sa très petite cuisine, où il y avoit grand feu, et qui étoit de plain-pied à sa chambre, une très petite antichambre entre-deux, les glaçons tomboient dans nos verres. C'est le même appartement qu'a aujourd'hui son fils. Cette seconde gelée perdit tout. Les arbres fruitiers périrent ; il ne resta plus ni noyers, ni oliviers, ni pommiers, ni vignes, à si peu près que ce n'est pas la peine d'en parler. Les autres arbres moururent en très grand nombre, les jardins périrent, et tous les grains dans la terre. On ne peut comprendre la désolation de cette ruine générale. Chacun resserra son vieux grain ; le pain enchérit à proportion du désespoir de la récolte. Les plus avisés ressemèrent des orges dans les terres où il y avoit eu du blé, et furent imités de la plupart : ils furent les plus heureux, et ce fut le salut ; mais la police s'avisa de le défendre, et s'en repentit trop tard. Il se publia divers édits sur les blés, on fit des recherches des amas, on envoya des commissaires par les provinces trois mois après les avoir annoncés, et toute cette conduite acheva de porter au comble l'indigence et la cherté, dans le temps qu'il étoit évident, par les supputations, qu'il y avoit pour deux années entières de blés en France, pour la nourrir toute entière, indépendamment d'aucune moisson. Beaucoup de gens crurent donc que Messieurs des finances avoient saisi cette occasion de s'emparer des blés par des émissaires répandus dans tous les marchés du Royaume, pour le vendre ensuite aux prix qu'ils y voudroient mettre au profit du Roi, sans oublier le leur. Une quantité fort considérable de bateaux de blé se gâtèrent sur la Loire, qu'on fut obligé de jeter à l'eau, et que le Roi avoit achetés, ne diminuèrent pas cette opinion, parce qu'on ne put cacher l'accident. Il est certain que le prix du blé étoit égal dans tous les marchés du Royaume ; qu'à Paris, les commissaires y mettoient le prix à mainforte, et obligeoient souvent les vendeurs à le hausser malgré eux ; que, sur les cris du peuple combien cette cherté dureroit, il échappa à quelques-uns des commissaires, et dans un marché à deux pas de chez moi, près Saint-Germain-des-Prés, cette réponse assez claire : *Tant qu'il vous plaira,* comme faisant entendre, poussés de compassion et d'indignation tout ensemble, tant que le peuple souffriroit qu'il n'entrât de blé dans Paris que sur les billets d'Argenson ; et il n'y entroit point autrement. D'Argenson, que la Régence a vu tenir les sceaux, étoit alors lieutenant de police, et fut fait en ce même temps conseiller d'Etat sans quitter la police. La rigueur de la contrainte fut poussée à bout sur les boulangers, et ce que je raconte fut uniforme par toute la France, les intendants faisant dans leurs généralités ce qu'Argenson faisoit à Paris, et, par tous les marchés, le blé qui ne se trouvoit pas vendu au prix fixé à l'heure marquée pour finir le marché se remportoit forcément, et ceux à qui la pitié le faisoit donner à un moindre prix étoient punis avec cruauté.

Mareschal, premier chirurgien du Roi, de qui j'ai parlé plus d'une fois, eut le courage et la probité de dire tout cela au Roi, et d'y ajouter l'opinion sinistre qu'en concevoit le public, les gens hors du commun, et même les meilleures têtes. Le Roi parut touché, n'en sut pas mauvais gré à Mareschal ; mais il n'en fut autre chose. Il se fit en plusieurs endroits des amas prodigieux, et avec le plus de secret qu'il fut possible. Rien n'étoit plus sévèrement défendu par les édits aux particuliers, et les délations également prescrites ; un pauvre homme, s'étant avisé d'en faire une à Desmaretz, en fut rudement châtié. Le Parlement s'assembla par chambres sur ces désordres, ensuite dans la grand chambre, par députés des autres chambres. La résolution y fut prise d'envoyer offrir au Roi que des conseillers allassent par l'étendue du ressort, et à leurs dépens, faire la visite des blés, y mettre la police, punir les contrevenants aux édits, et de joindre une liste de ceux des conseillers qui s'offroient à ces tournées par départements séparés. Le Roi, informé de la chose par le premier président, s'irrita d'une façon étrange, voulut envoyer une dure réprimande au Parlement, et lui commander de ne se mêler que de juger des procès. Le Chancelier n'osa représenter au Roi combien ce que le Parlement vouloit faire étoit convenable, et combien cette matière étoit de son district ; mais il appuya sur l'affection et le respect avec lequel le Parlement s'y présentoit, et il lui fit voir combien il étoit maître d'accepter ou de refuser ses offres. Ce ne fut pas sans débat qu'il parvint à calmer le Roi assez pour sauver la réprimande ; mais il voulut absolument que le Parlement fût au moins averti de sa part qu'il lui défendoit de se mêler des blés. La scène se passa en plein Conseil, où le Chancelier parla seul, tous les autres ministres gardant un profond silence : ils savoient apparemment bien qu'en penser, et se gardèrent bien de rien dire sur une affaire qui regardoit le ministère particulier du Chancelier. Quelque accoutumé que fût le Parlement, ainsi que tous les autres corps, aux humiliations, celle-ci lui fut très sensible : il y obéit en gémissant. Le public n'en fut pas moins touché : il n'y eut personne qui ne sentît que, si les finances avoient été nettes de tous ces cruels manèges, la démarche du Parlement ne pouvoit qu'être agréable au Roi, et utile, en mettant cette Compagnie entre lui et son peuple, et montrant ainsi qu'on n'y entendoit point finesse ; et cela sans qu'il en eût rien coûté de solide, ni même d'apparent, à cette autorité absolue et sans bornes dont il étoit si vivement jaloux. Le parlement de Bourgogne, voyant la province dans la plus extrême nécessité, écrivit à l'intendant, qui ne s'en émut pas le moins du monde. Dans ce danger si pressant d'une faim meurtrière, la Compagnie s'assembla pour y pourvoir. Le premier président n'osa assister à la délibération ; il en devinoit apparemment plus que les autres. L'ancien des présidents à mortier y présida : il n'y fut rien traité que de nécessaire à la chose, et encore avec des ménagements infinis ; cependant le Roi n'en fut pas plus tôt informé, qu'il s'irrita extrêmement : il envoya à ce parlement une réprimande sévère, défense de se plus mêler de cette police, quoique si naturellement de son ressort, et ordre au président à mortier qui avoit présidé à la délibération de venir à la suite de la cour rendre compte de sa conduite. Il partit aussitôt. Il ne s'agissoit de rien moins que de le priver de sa charge. Néanmoins, Monsieur le Duc, gouverneur de la province en survivance de Monsieur le Prince fort malade, s'unit au Chancelier pour protéger ce magistrat, dont la conduite étoit irréprochable : ils le sauvèrent moyennant une forte vesperie de la part du Roi, qui permit après qu'il lui fît la révérence. Ainsi, au bout de quelques semaines, il retourna à Dijon, où on avoit résolu de lui faire une entrée et de le recevoir en triomphe : en homme sage et trop expérimenté, il en redouta les suites, il craignit même de n'obtenir pas d'être dispensé de recevoir cet honneur ; mais il l'évita en mesurant son voyage de façon qu'il arriva à Dijon à cinq heures du matin, prit aussitôt sa robe, et s'en alla au Parlement rendre compte de son voyage et remercier de tout ce qu'on avoit résolu de faire pour lui. Les deux autres parlements, sur ces deux exemples, se laissèrent en tremblant sous la tutelle des intendants et dans la main de leurs émissaires. Ce fut pour lors qu'on choisit ces commissaires dont j'ai parlé, tirés tous des siéges subalternes, qui, chargés de la visite chacun d'un certain canton, devoient juger des délits avec les présidiaux voisins sous les yeux de l'intendant, et sans dépendance aucune des Parlements ; mais, pour donner une amusette plutôt qu'une vaine consolation à celui de Paris, il fut composé d'un tribunal tiré de toutes ses chambres, à la tête duquel Maisons, président à mortier, fut mis, auquel devoient ressortir les appellations de sentences de ces commissaires dans les provinces. Ils ne partirent que trois mois après leur établissement. Ils firent des courses vaines, et pas un d'eux n'eurent jamais aucune connoissance de cette police. Ainsi ils ne trouvèrent rien, parce qu'on s'étoit mis en état qu'ils ne pussent rien rencontrer : par conséquent, ni jugement ni appel, faute de matière. Cette ténébreuse besogne demeura ainsi entre les mains d'Argenson et des seuls intendants, dont on se garda bien de la laisser sortir, ni éclairer, et elle continua d'être administrée avec la même dureté. Sans porter de jugement plus précis sur qui l'inventa et en profita, il se peut dire qu'il n'y a guère de siècle qui ait produit un ouvrage plus obscur, plus hardi, mieux tissu, d'une oppression plus constante, plus sûre, plus cruelle. Les sommes qu'il produisit sont innombrables, et innombrable le peuple qui en mourut de faim réelle, et à la lettre, et de ce qu'il en périt après des maladies causées par l'extrêmité de la misère, le nombre infini de familles ruinées, et les cascades de maux de toute espèce qui en dérivèrent. Avec cela néanmoins, les payements les plus inviolables commencèrent à s'altérer. Ceux de la douane, ceux des diverses caisses d'emprunts, les rentes de l'hôtel de ville, en tout temps si sacrées, tout fut suspendu, ces dernières seulement continuées, mais avec des délais, puis des retranchements qui désolèrent presque toutes les familles de Paris, et bien d'autres. En même temps, les impôts haussés, multipliés, exigés avec les plus extrêmes rigueurs, achevèrent de dévaster la France. Tout renchérit au delà du croyable tandis qu'il ne restoit plus de quoi acheter au meilleur marché, et, quoique la plupart des bestiaux eussent péri faute de nourriture, et par la misère de ceux qui en avoient les campagnes, on mit dessus une nouvelle monopole. Grand nombre de gens qui, les années précédentes, soulageoient les pauvres se trouvèrent réduits à subsister à grand peine, et beaucoup de ceux-là à recevoir l'aumône en secret. Il ne se peut dire combien d'autres briguèrent les hôpitaux, naguères la honte et le supplice des pauvres, combien d'hôpitaux ruinés revomissoient leurs pauvres à la charge publique, c'étoit à dire alors à mourir effectivement de faim, et combien d'honnêtes familles expirantes dans les greniers, il ne se peut dire aussi combien tant de misère échauffa le zèle et la charité, ni combien immenses furent les aumônes ; mais, les besoins croissant à chaque instant, une charité indiscrète et tyrannique imagina des taxes et un impôt pour les pauvres. Elles s'étendirent avec si peu de mesure en sus de tant d'autres, que ce surcroît mit une infinité de gens plus qu'à l'étroit au delà de ce qu'ils y étoient déjà, en dépitèrent un grand nombre, dont elles tarirent les aumônes volontaires : en sorte que, outre l'emploi de ces taxes peut-être mal géré, les pauvres en furent beaucoup moins soulagés. Ce qui a été depuis de plus étrange, pour en parler sagement, c'est que, ces taxes en faveur des pauvres, un peu modérées, mais perpétuées, le Roi se les est appropriées, en sorte que

les gens des finances les touchent publiquement jusqu'à aujour-
d'hui comme une branche des revenus du Roi, jusqu'avec la
franchise de ne lui avoir pas fait changer de nom. Il en est
de même de l'imposition qui se fait tous les ans dans chaque
généralité pour les grands chemins : les finances se les sont
appropriées encore avec la même franchise, sans leur faire
changer de nom. La plupart des ponts sont rompus par tout
le Royaume, et les plus grands chemins étoient devenus impra-
ticables. Le commerce qui en souffre infiniment a réveillé :
Lescalopier, intendant de Champagne, imagina de les faire
accommoder par corvée, sans même donner du pain ; on l'a
imité partout, et il en a été fait conseiller d'Etat. La monopole des employés à ces ouvrages les a enrichis, le peuple en
est mort de faim et de misère à tas : à la fin, la chose n'a plus
été soutenable, et a été abandonnée, et les chemins aussi ; mais
l'imposition pour les faire et les entretenir n'en a pas moins
subsisté pendant ces corvées et depuis, et pas moins touchée
comme une branche des revenus du Roi. Ce manége des blés
a paru une si bonne ressource, et si conforme à l'humanité
et aux lumières de Monsieur le Duc et des Paris, maîtres du
Royaume sous son ministère, et, maintenant que j'écris, au
contrôleur général Orry, le plus ignorant et le plus barbare
qui administra jamais les finances, que l'un et l'autre ont saisi
la même ressource, mais plus grossièrement, comme
eux-mêmes, et avec le même succès de famine factice qui
a dévasté le Royaume. Mais, pour revenir à l'année 1709, où
nous en sommes, on ne cessoit de s'étonner de ce que pouvoit
devenir tout l'argent du Royaume : personne ne pouvoit plus
payer parce que personne ne l'étoit soi-même ; les gens de
la campagne, à bout d'exactions et de non-valeurs, étoient
devenus insolvables ; le commerce tari ne rendoit plus rien,
la bonne foi et la confiance abolies. Ainsi le Roi n'avoit
plus de ressource que la terreur et l'usage de sa puissance
sans bornes, qui, toute illimitée qu'elle fût, manquoit aussi,
faute d'avoir sur quoi prendre et s'exercer. Plus de circulation,
plus de voies de la rétablir. Le Roi ne payoit plus même ses
troupes, sans qu'on pût imaginer ce que devenoient tant de
millions qui entroient dans ses coffres. C'est l'état affreux où
tout se trouvoit réduit lorsque Rouillé, et tôt après lui Torcy
furent envoyés en Hollande. Ce tableau est exact, fidèle, et
point chargé. Il étoit nécessaire de le présenter au naturel pour
faire comprendre l'extrémité dernière où on étoit réduit, l'énormité des relâchements où le Roi se laissa porter pour obtenir
la paix, et le miracle visible de Celui qui met des bornes à
la mer et qui appelle ce qui n'est pas comme ce qui est, par
lequel il tira la France des mains de toute l'Europe résolue
et prête à la faire périr, et l'en tira avec les plus grands avan-

tages vu l'état où elle se trouvoit réduite, et le succès le moins possible à espérer. En attendant, la refonte de la monnoie et son rehaussement d'un tiers plus que sa valeur intrinsèque apporta du profit au Roi, mais une ruine aux particuliers, et un désordre dans le commerce qui acheva de l'anéantir. Samuel Bernard culbuta Lyon par sa prodigieuse banqueroute, dont la cascade fit de terribles effets ; Desmaretz le secourut autant qu'il lui fut possible. Les billets de monnoie et leur discrédit en furent cause. Ce célèbre banquier en fit voir pour vingt millions. Il en devoit presque autant à Lyon : on lui en donna quatorze en bonnes assignations, pour tâcher de le tirer d'affaires avec ce qu'il pourroit faire de ses billets de monnoie. On a prétendu depuis qu'il avoit trouvé moyen de gagner beaucoup à cette banqueroute ; mais il est vrai qu'encore qu'aucun particulier de cette espèce n'ait jamais tant dépensé ni laissé, et n'ait jamais eu, à beaucoup près, un si grand crédit par toute l'Europe, jusqu'à sa mort arrivée trente ans depuis, il en faut excepter Lyon et la guerre d'Italie qui en est voisine, où il n'a jamais pu se rétablir.

2.2. LE JUGEMENT DE LA BRUYÈRE (VI, *DES BIENS DE FORTUNE*)

Les PTS nous font sentir toutes les passions l'une après l'autre : l'on commence par le mépris à cause de leur obscurité ; on les envie ensuite, on les hait, on les craint, on les estime quelquefois, et on les respecte ; l'on vit assez pour finir à leur égard par la compassion.

Sosie, de la livrée a passé, par une petite recette, à une sous-ferme ; et par les concussions, la violence et l'abus qu'il a faits de ses pouvoirs, il s'est enfin, sur les ruines de plusieurs familles, élevé à quelque grade ; devenu noble par une charge, il ne lui manquait que d'être homme de bien : une place de marguillier a fait ce prodige.

Arfure cheminait seule et à pied vers le grand portique de Saint, entendait de loin le sermon d'un carme ou d'un docteur qu'elle ne voyait qu'obliquement, et dont elle perdait bien des paroles. Sa vertu était obscure, et sa dévotion connue comme sa personne. Son mari est entré dans le *huitième denier* : quelle monstrueuse fortune en moins de six années ! Elle n'arrive à l'église que dans un char ; on lui porte une lourde queue ; l'orateur s'interrompt pendant qu'elle se place ; elle le voit de front, n'en perd pas une seule parole ni le moindre geste. Il y a une brigue entre les prêtres pour la confesser ; tous veulent l'absoudre, et le curé l'emporte.

Champagne, au sortir d'un long dîner qui lui enfle l'estomac, et dans les douces fumées d'un vin d'Avenay ou de Sillery, signe un ordre qu'on lui présente, qui ôterait le pain à toute une province si l'on n'y remédiait. Il est excusable : quel moyen de comprendre, dans la première heure de la digestion, qu'on puisse quelque part mourir de faim ?

Sylvain de ses deniers a acquis de la naissance et un autre nom : il est seigneur de la paroisse où ses aïeuls payaient la taille ; il n'aurait pu autrefois entrer page chez *Cléobule*, et il est son gendre.

On ne peut mieux user de sa fortune que fait *Périandre* : elle lui donne du rang, du crédit, de l'autorité ; déjà on ne le prie plus d'accorder son amitié, on implore sa protection. Il a commencé par dire de soi-même : *un homme de ma sorte ;* il passe à dire : *un homme de ma qualité ;* il se donne pour tel, et il n'y a personne de ceux à qui il prête de l'argent, ou qu'il reçoit à sa table, qui est délicate, qui veuille s'y opposer. Sa demeure est superbe : un dorique règne dans tous ses dehors ; ce n'est pas une porte, c'est un portique : est-ce la maison d'un particulier ? est-ce un temple ? le peuple s'y trompe. Il est le seigneur dominant de tout le quartier. C'est lui que l'on envie, et dont on voudrait voir la chute ; c'est lui dont la femme, par son collier de perles, s'est fait des ennemies de toutes les dames du voisinage. Tout se soutient dans cet homme ; rien encore ne se dément dans cette grandeur qu'il a acquise, dont il ne doit rien, qu'il a payée. Que son père, si vieux et si caduc, n'est-il mort il y a vingt ans et avant qu'il se fît dans le monde aucune mention de Périandre ! Comment pourra-t-il soutenir ces odieuses pancartes qui déchiffrent les conditions et qui souvent font rougir la veuve et les héritiers ? Les supprimera-t-il aux yeux de toute une ville jalouse, maligne, clairvoyante, et aux dépens de mille gens qui veulent absolument aller tenir leur rang à des obsèques ? Veut-on d'ailleurs qu'il fasse de son père un *Noble homme,* et peut-être un *Honorable homme,* lui qui est *Messire ?*

Si certains morts revenaient au monde, et s'ils voyaient leurs grands noms portés, et leurs terres les mieux titrées avec leurs châteaux et leurs maisons antiques, possédées par des gens dont les pères étaient peut-être leurs métayers, quelle opinion pourraient-ils avoir de notre siècle ?

Rien ne fait mieux comprendre le peu de chose que Dieu croit donner aux hommes, en leur abandonnant les richesses, l'argent, les grands établissements et les autres biens, que la dispensation qu'il en fait, et le genre d'hommes qui en sont le mieux pourvus.

Ce garçon si frais, si fleuri et d'une si belle santé est seigneur d'une abbaye et de dix autres bénéfices : tous ensemble lui rapportent six vingt mille livres de revenu, dont il n'est payé qu'en médailles d'or. Il y a ailleurs six vingt familles indigentes qui ne se chauffent point pendant l'hiver, qui n'ont point d'habits pour se couvrir, et qui souvent manquent de pain ; leur pauvreté est extrême et honteuse. Quel partage ! Et cela ne prouve-t-il pas clairement un avenir ?

Le peuple souvent a le plaisir de la tragédie : il voit périr sur le théâtre du monde les personnages les plus odieux, qui ont fait le plus de mal dans diverses scènes, et qu'il a le plus haïs.

Si l'on partage la vie des PTS en deux portions égales, la première, vive et agissante, est toute occupée à vouloir affliger le peuple, et la seconde, voisine de la mort, à se déceler et à se ruiner les uns les autres.

Il y a une dureté de complexion, il y en a une autre de condition et d'état ; l'on tire de celle-ci comme de la première de quoi s'endurcir sur la misère des autres, dirai-je même de quoi ne pas plaindre les malheurs de sa famille : un bon financier ne pleure ni ses amis, ni sa femme, ni ses enfants.

Il faut une sorte d'esprit pour faire fortune, et surtout une grande fortune : ce n'est ni le bon ni le bel esprit, ni le grand ni le sublime, ni le fort ni le délicat ; je ne sais précisément lequel c'est, et j'attends que quelqu'un veuille bien m'instruire.

Il faut moins d'esprit que d'habitude ou d'expérience pour faire fortune : l'on y songe trop tard, et quand enfin on s'en avise, l'on commence par des fautes que l'on n'a pas toujours le loisir de réparer : de là vient peut-être que les fortunes sont si rares.

L'on peut s'enrichir dans quelque art ou dans quelque commerce que ce soit par l'ostentation d'une certaine probité. Il n'y a au monde que deux manières de s'élever : ou par sa propre industrie, ou par l'imbécillité des autres.

L'on ne reconnaît plus, en ceux que le jeu et le gain ont illustrés, la moindre trace de leur première condition : ils perdent de vue leurs égaux et atteignent les plus grands seigneurs. Il est vrai que la fortune (= le hasard) du dé ou du lansquenet les remet souvent où elle les a pris.

Il fait bon, avec celui qui ne se sert pas de son bien à marier ses filles, à payer ses dettes, ou à faire des contrats, pourvu que l'on ne soit ni ses enfants ni sa femme !

Il y a des âmes sales, pétries de boue et d'ordure, éprises du gain et de l'intérêt, comme les belles âmes le sont de la gloire et de la vertu ; capables d'une seule volupté, qui est celle d'acquérir ou de ne point perdre ; curieuses et avides du denier dix, uniquement occupées de leurs débiteurs, toujours inquiètes sur le rabais ou sur le décri des monnaies, enfoncées

et comme abîmées dans les contrats, les titres et les parche-
mins. De tels gens ne sont ni parents, ni amis, ni citoyens,
ni chrétiens, ni peut-être des hommes : ils ont de l'argent.

3. LES MŒURS À LA VILLE
VUES PAR UN CHANSONNIER

Je trouve que les jeunes gens
Aujourd'hui cherchent trop leurs aises.
Chez les dames, au bon vieux temps,
Prenaient-ils les meilleures chaises ?
Les y voyait-on renversés,
Les jambes, les genoux croisés ?

La perruque, dans ce temps-ci,
Qu'on ôte dès qu'elle incommode,
Et le tabac, qui Dieu merci,
Est devenu fort à la mode,
Font qu'ils se montrent sans cheveux,
Et barbouillés jusques aux yeux.

Un homme incivil et grossier,
Qui volontiers rompt en visière,
Qui vous dit des mots de chartier
Est approuvé dans sa manière.
Il passe pour avoir du Ciel,
Le don d'un esprit naturel.

Le jeu, le vin, et cetera,
Ont gâté toute la jeunesse ;
Les infantes de l'Opéra
Ont dégoûté de la tigresse,
La politesse de la cour
Venait d'un plus parfait amour.

La femme, d'un autre côté,
A pris part au libertinage
Et s'est, par son habileté,
Soustraite au fâcheux esclavage
De tous ces habits contraignants
Que l'on portait un certain temps.

Le corps de jupe est aboli,
La collerette est supprimée,
Le grand habit noir est banni ;
La robe la plus négligée
La met dans une liberté
Dont nos mères n'ont point tâté...

Même la femme sans façon
Depuis janvier jusqu'à décembre,
Va, vient et sort de la maison,
Très souvent en mules de chambre
Et, prête à tous événements,
Semble attendre un heureux moment.

Veut-elle chercher des amis,
Aller où le plaisir l'appelle ?
On la voit courir tout Paris,
Sans écuyer, sans demoiselle,
Et recevoir beaucoup de soins,
Chez elle, sans aucun témoins...

Pierre de Clairambault
(chansonnier né en Côte-d'Or, 1651-1740).

4. CRITIQUES DE LA COMÉDIE DE *TURCARET* PAR LE DIABLE BOITEUX

DIALOGUE
ASMODÉE, DON CLÉOFAS

ASMODÉE. — Puisque mon magicien m'a remis en liberté, je vais vous faire parcourir tout le monde, et je prétends chaque jour offrir à vos vœux de nouveaux objets.

DON CLÉOFAS. — Vous avez bien raison de me dire que vous allez bon train, tout boiteux que vous êtes ; comment diable, nous étions tout à l'heure à Madrid. Je n'ai fait que souhaiter d'être à Paris, et je m'y trouve. Ma foi, seigneur Asmodée, c'est un plaisir de voyager avec vous.

ASMODÉE. — N'est-il pas vrai ?

DON CLÉOFAS. — Assurément. Mais dites-moi, je vous prie, dans quel lieu vous m'avez transporté ? Nous voici sur un théâtre ; je vois des décorations, des loges, un parterre ; il faut que nous soyons à la Comédie.

ASMODÉE. — Vous l'avez dit ; et l'on va représenter tout à l'heure une pièce nouvelle, dont j'ai voulu donner le divertissement. Nous pouvons, sans crainte d'être vus ni écoutés, nous entretenir en attendant qu'on commence.

DON CLÉOFAS. — La belle assemblée : que de dames !

ASMODÉE. — Il y en aurait davantage, sans les spectacles de la Foire ; la plupart des femmes y courent avec fureur. Je suis ravi de les voir dans le goût de leurs laquais et de leurs cochers ; c'est à cause de cela que je m'oppose au dessein des Comédiens. J'inspire tous les jours de nouvelles chicanes aux bateleurs. C'est moi qui leur ai fourni le Suisse.

DON CLÉOFAS. — Que voulez-vous dire par votre Suisse?

ASMODÉE. — Je vous expliquerai cela une autre fois; ne soyons présentement occupés que de ce qui frappe nos yeux. Remarquez-vous combien on a de peine à trouver des places? Savez-vous ce qui fait la foule? C'est que c'est aujourd'hui la première représentation d'une comédie où l'on joue un homme d'affaires. Le public aime à rire aux dépens de ceux qui le font pleurer.

DON CLÉOFAS. — C'est-à-dire que les gens d'affaires sont tous des...

ASMODÉE. — C'est ce qui vous trompe; il y a de fort honnêtes gens dans les affaires; j'avoue qu'il n'y en a pas en très grand nombre; mais il y en a qui, sans s'écarter des principes de l'honneur et de la probité, ont fait actuellement leur chemin, et dont la Robe et l'Epée ne dédaignent pas l'alliance. L'Auteur respecte ceux-là. Effectivement il aurait tort de les confondre avec les autres. Enfin, il y a d'honnêtes gens dans toutes les professions. Je connais même des commissaires et des greffiers qui ont de la conscience.

DON CLÉOFAS. — Sur ce pied-là, cette comédie n'offense point les honnêtes gens qui sont dans les affaires.

ASMODÉE. — Comme *le Tartuffe* que vous avez lu n'offense point les vrais dévots. Eh! pourquoi les gens d'affaires s'offenseraient-ils de voir sur la scène un sot, un fripon de leur corps? Cela ne tombe point sur le général. Ils seraient donc plus délicats que les courtisans et les gens de robe, qui voient tous les jours avec plaisir représenter des marquis et des juges ignorants et corruptibles.

DON CLÉOFAS. — Je suis curieux de savoir de quelle manière la pièce sera reçue. Apprenez-le-moi de grâce par avance.

ASMODÉE. — Les diables ne connaissent point l'avenir, je vous l'ai déjà dit. Mais quand nous aurions cette connaissance, je crois que le succès des comédies en serait excepté, tant il est impénétrable.

DON CLÉOFAS. — L'auteur et les comédiens se flattent sans doute qu'elle réussira?

ASMODÉE. — Pardonnez-moi. Les comédiens n'en ont pas bonne opinion; et leurs pressentiments, quoiqu'ils ne soient pas infaillibles, ne laissent pas d'effrayer l'auteur, qui s'est allé cacher aux troisièmes loges, où, par surcroît de chagrin, il vient d'arriver auprès de lui un caissier et un agent de change, qui disent avoir ouï parler de la pièce, et qui la déchirent impitoyablement. Par bonheur pour lui, il est si sourd qu'il n'entend pas la moitié de leurs paroles.

DON CLÉOFAS. — Oh! je crois qu'il y a bien des caissiers et des agents de change dans cette assemblée.

ASMODÉE. — Oui, je vous assure, je ne vois partout que des cabales de commis et d'auteurs, que des siffleurs dispersés et prêts à se répondre.

DON CLÉOFAS. — Mais l'auteur n'a-t-il pas aussi ses partisans ?

ASMODÉE. — Ho qu'oui ! Il y a ici tous ses amis, avec les amis de ses amis. De plus, on a répandu dans le parterre quelques grenadiers de police pour tenir les commis en respect ! cependant avec tout cela je ne voudrais pas répondre de l'événement. Mais taisons-nous, les acteurs paraissent. Vous entendez assez le français pour juger de la pièce. Ecoutons-la ! et, après que le parterre en aura décidé, nous réformerons son jugement, ou nous le confirmerons.

FIN DE LA CRITIQUE PAR LE DIABLE BOITEUX

ASMODÉE. — Eh bien, seigneur Don Cléofas ! Que pensez-vous de cette comédie ? Elle vient de réussir en dépit des cabales : les ris sans cesse renaissants des personnes qui se sont livrées au spectacle ont étouffé la voix des commis et des auteurs.

DON CLÉOFAS. — Oui, mais je crois qu'ils vont bien se donner carrière présentement et se dédommager du silence qu'ils ont été obligés de garder.

ASMODÉE. — N'en doutez point ; les voilà déjà qui forment des pelotons dans le parterre et qui répandent leur venin. J'aperçois entre autres trois chefs de meute, trois beaux esprits qui vont entraîner dans leur sentiment quelques petits génies qui les écoutent ; mais je vois à leurs trousses les amis de l'auteur. Grande dispute ; on s'échauffe de part et d'autre. Les uns disent de la pièce plus de mal qu'ils n'en pensent et les autres en pensent moins de bien qu'ils n'en disent.

DON CLÉOFAS. — Hé ! quels défauts y trouvent les critiques ?

ASMODÉE. — Cent mille.

DON CLÉOFAS. — Mais encore ?

ASMODÉE. — Ils disent que tous les personnages en sont vicieux et que l'auteur a peint les mœurs de trop près.

DON CLÉOFAS. — Ils n'ont parbleu pas tout le tort ; les mœurs m'ont paru un peu gaillardes.

ASMODÉE. — Il est vrai ; j'en suis assez content. La Baronne tire assez sur votre Doña Thomasa. J'aime à voir dans les comédies régner mes héroïnes ; mais je n'aime pas qu'on les punisse au dénouement ; cela me chagrine. Heureusement, il y a bien des pièces françaises où l'on m'épargne ce chagrin-là.

DON CLÉOFAS. — Je vous entends. Vous n'approuvez pas que la Baronne soit trompée dans son attente ; que le Chevalier perde toutes les espérances et que Turcaret soit arrêté. Vous voudriez qu'ils fussent tous contents. Car enfin leur châtiment est une leçon qui blesse vos intérêts.

ASMODÉE. — J'en conviens ; mais ce qui me console, c'est que Lisette et Frontin sont bien récompensés.

DON CLÉOFAS. — La belle récompense ! Les bonnes dispositions de Frontin ne font-elles pas assez prévoir que son règne finira comme celui de Turcaret ?

ASMODÉE. — Vous êtes trop pénétrant. Venons au caractère de Turcaret. Qu'en dites-vous ?

DON CLÉOFAS. — Je dis qu'il est manqué, si les gens d'affaires sont tels qu'on me les a dépeints. Les affaires ont des mystères qui ne sont point ici développés.

ASMODÉE. — Au grand Satan ne plaise que ces mystères se découvrent. L'auteur m'a fait plaisir de montrer simplement l'usage que mes partisans font des richesses que je leur fais acquérir.

DON CLÉOFAS. — Vos partisans sont donc bien différents de ceux qui ne le sont pas ?

ASMODÉE. — Oui vraiment. Il est aisé de reconnaître les miens. Ils s'enrichissent par l'usure, qu'ils n'osent plus exercer que sous le nom d'autrui quand ils sont riches. Ils prodiguent leurs richesses quand ils sont amoureux, et leurs amours finissent par la fuite ou par la prison.

DON CLÉOFAS. — A ce que je vois, c'est un de vos amis que l'on vient de jouer. Mais dites-moi, seigneur Asmodée, quel bruit est-ce que j'entends auprès de l'orchestre ?

ASMODÉE. — C'est un cavalier espagnol qui crie contre la sécheresse de l'intrigue.

DON CLÉOFAS. — Cette remarque convient à un Espagnol. Nous ne sommes point accoutumés, comme les Français, à des pièces qui sont, pour la plupart, fort faibles de ce côté-là.

ASMODÉE. — C'est en effet le défaut ordinaire de ces sortes de pièces : elles ne sont point assez chargées d'événements. Les auteurs veulent toute l'attention du spectateur pour le caractère qu'ils dépeignent, et regardent comme des sujets de distraction les intrigues trop composées. Je suis de leur sentiment, pourvu que d'ailleurs la pièce soit intéressante.

DON CLÉOFAS. — Mais celle-ci ne l'est point.

ASMODÉE. — Hé ! c'est le plus grand défaut que j'y trouve. Elle serait parfaite, si l'auteur avait su engager à aimer les personnages ;

mais il n'a pas eu assez d'esprit pour cela. Il s'est avisé, mal à propos, de rendre le vice haïssable. Personne n'aime la Baronne, le Chevalier, ni Turcaret ; ce n'est pas le moyen de faire réussir une comédie.

DON CLÉOFAS. — Elle n'a pas laissé de me divertir. J'ai eu le plaisir de voir bien rire : je n'ai remarqué qu'un homme et une femme qui aient gardé leur sérieux. Les voilà encore dans leur loge. Qu'ils ont l'air chagrin ! Ils ne paraissent guère contents.

ASMODÉE. — Il faut le leur pardonner : c'est un Turcaret avec sa Baronne. En récompense, on a bien ri dans la loge voisine. Ce sont des personnes de robe qui n'ont point de Turcaret dans leur famille... Mais le monde achève de s'écouler ; sortons, allons à la Foire voir de nouveaux visages.

DON CLÉOFAS. — Je le veux ; mais apprenez-moi auparavant qui est cette jolie femme, qui paraît aussi mal satisfaite.

ASMODÉE. — C'est une dame que les glaces et les porcelaines brisées par Turcaret ont étrangement révoltée : je ne sais si c'est à cause que la même scène s'est passée chez elle, ce carnaval.

JUGEMENTS

Francisque Sarcey énumère ses griefs contre la pièce. Il écrit en 1872, mais c'est un défenseur du goût classique, et il ne craint pas, dans ses articles, de flatter les préférences du public pour les recettes éprouvées, et même les grosses ficelles.

Turcaret est moins une pièce de théâtre qu'un pamphlet dialogué. Sauf au dernier acte, où il y a vraiment une situation dramatique, étincelante de gaieté et qui fait toujours éclater le fou rire dans la salle, toute l'œuvre n'est qu'une satire extrêmement spirituelle et mordante, dirigée contre les traitants, une suite de conversations où sont flagellés tour à tour les ridicules et les vices de Turcaret.

On goûte cet esprit à la lecture; on s'amuse de tous ces traits qui tombent si drus et si perçants sur ce gros financier imbécile; on veut autre chose au théâtre : de l'action, des caractères, une progression continue des faits ou des sentiments qui vous emporte d'un point à un autre. [...]

Une autre faute de l'auteur, c'est de n'avoir entouré Turcaret que de gredins de bas étage. Lesage s'en excuse, dans son épilogue, en objectant qu'il a peint le train de vie ordinaire. Cette justification n'est que spécieuse. Il n'y a guère de siècle, au contraire, où la bonne vieille bourgeoisie ait eu des mœurs plus sévères et une éducation plus solide. [...]

C'est une loi dramatique à laquelle je ne sais point d'exception : il faut absolument que dans un drame, on s'intéresse à quelqu'un ou à quelque chose. La contemplation de mœurs mauvaises ne suffit point à réjouir les yeux ni l'esprit au théâtre. Ce plaisir désintéressé, ce plaisir scientifique et âpre convient au moraliste. La comédie veut davantage : elle exige que le cœur soit touché et qu'il prenne parti. [...]

Turcaret nous renvoie triste, mécontent des autres et de soi-même. On s'en retourne chez soi avec une courbature de l'esprit...

F. Sarcey,
Quarante Ans de théâtre : Lesage, « Turcaret »
(4 mars 1872, pp. 341 et sqq).

M. A. Adam replace Turcaret dans l'histoire littéraire classique, qu'il connaît parfaitement, et conclut au manque d'originalité. Vous verrez comment il faut préciser le mérite dont il fait mention dans la dernière phrase.

Depuis vingt ans, le financier coureur de jupes, la jeune femme qui se laisse aimer d'un homme riche et âgé, le chevalier d'industrie, la vieille folle qui mendie sans pudeur l'amour de quelque jeune galant, tous ces types étaient devenus familiers à la scène française.

A l'exception de Marine, nul personnage, dans *Turcaret*, n'était honnête et sympathique. Ce n'était pas là non plus une nouveauté, ni cette recherche du mot rosse, ni ce ton d'ironie sèche où le mal apparaît, non point comme un juste objet d'indignation, mais comme un spectacle curieux ou amusant. L'originalité est, de tous les points de vue possibles, médiocre. *Turcaret* est pourtant demeuré au répertoire, et il le mérite par des qualités qui résument en une seule pièce toute une période particulièrement brillante de l'histoire de notre comédie.

A. Adam,
Histoire de la littérature française au XVIIᵉ siècle
(tome V, 1956).

A la fin du XIXᵉ siècle, le « bon vieux Faguet » soulignait, lui, l'originalité (notez bien, première ligne : « dans une grande comédie »).

Pour la première fois dans une grande comédie, le public verra en scène un gros financier voleur, et pour la première fois une fille entretenue, et pour la première fois un favori de fille. Les trois témérités de notre théâtre contemporain sont hasardées, toutes trois ensemble, du premier coup, tant il est vrai que c'est bien de Lesage que date la littérature réaliste et « moderne ». Mais ces trois témérités, il n'y avait guère que Lesage qui pût les faire passer. Ce n'est point qu'il atténue, qu'il tourne les difficultés ; non, mais il les sauve à force de naturel, à force de n'être ni effrayé lui-même, ni échauffé...

Tout naturellement en effet, et non par timidité, car s'il eût été timide, c'est devant le sujet qu'il eût reculé, Lesage borne sa peinture à la réalité, à l'aspect ordinaire des choses. Ces monstres sont des monstres très bourgeois, parce que c'est bien ainsi qu'ils sont dans la vie réelle.

Émile Faguet.

Pour Ferdinand Brunetière, c'est bien d'une comédie de mœurs qu'il s'agit, et il conclut en insistant sur le talent réaliste de Lesage, qu'il définit avec précision.

L'objet principal est bien ici, comme dans les comédies de Dancourt, la peinture des mœurs du temps, celle du monde interlope, celle surtout du pouvoir *nouveau* de l'argent. Nouveau ? Oui. Car c'est au temps de Lesage et précisément aux environs de 1710, ou mieux encore entre 1670 et 1730 à peu près, que, le pouvoir de l'esprit ne faisant que de naître, celui du sang ne comptant presque plus, ou perdant du terrain, l'argent est maître, l'argent est roi. Et c'est en quoi d'abord le *Turcaret* de Lesage réalise la définition de la comédie de mœurs. Turcaret est de son temps, il en exprime l'un des caractères essentiels...

Lesage n'est pas un grand esprit. C'en est même un médiocre, de peu d'étendue, de peu de portée, qui n'a jamais pensé bien haut ni bien profondément, ni peut-être pensé du tout. Mais c'est un observateur exact et pénétrant, qui sait voir, qui rend bien ce qu'il voit, et dont je dirais volontiers que le style exprime souvent plus qu'il ne voit ou qu'il ne croit voir lui-même. Il a quelquefois l'air profond : mais ce n'est pas lui qui l'est, c'est son modèle, si je puis ainsi dire.

Ferdinand Brunetière.

A quoi fait écho Faguet.

Le réalisme est d'abord curiosité et bonne vue. Personne n'a été plus curieux que Lesage, et n'a vu plus juste, dans le monde où il lui était permis de regarder... Il est réaliste comme un homme qui non seulement a le goût de la réalité, mais l'habitude de ces mœurs moyennes qui sont la matière même du réalisme.

Émile Faguet.

Expliquant pourquoi Lesage limite son réalisme documentaire, E. Lintilhac souligne le caractère comique de la pièce.

Pour l'auteur, il suffisait de prouver dans cette scène [celle de M. Rafle] que, « si les affaires ont des mystères qui ne sont point ici développés », il connaissait néanmoins tous ces mystères, mais qu'il voulait se borner à montrer « l'usage que les partisans font de leurs richesses ». Aucune autorité ne le gênait ici : c'est une raison de goût qui a poussé Lesage à ne pas insister sur le dessous du rôle de Turcaret. Il voulait éviter l'odieux, et c'est pour permettre le rire qu'il grossit le côté plaisant des rôles du Marquis, de Mᵐᵉ Jacob, de Turcaret lui-même, qui est si bonne dupe que la Baronne s'écriera avec le parterre : « Il me paraît qu'il l'est trop, Lisette. Sais-tu bien que je commence à le plaindre ? »

E. Lintilhac,
la Comédie au XVIIIᵉ siècle (chap. III).

Voici enfin une curieuse appréciation sur la moralité de l'auteur.

Si Lesage ne fait guère confiance aux hommes, son pessimisme n'est pas d'un moraliste prêt à tirer les leçons du triste spectacle auquel il assiste. Le monde étant ce qu'il est, Lesage s'en accommode en viveur désabusé qui, une fois pour toutes, a admis que les femmes sont vénales, que l'argent donne tous les droits, que dans une société mal faite l'honnêteté est une faiblesse plus qu'une vertu, et qu'en fin de compte tout voleur qui ne se fait pas prendre est un habile homme qu'il serait vain de blâmer. Ainsi sa sympathie est-elle acquise à Frontin, sorte de Figaro qui aurait mal tourné. Dans cette comédie où il n'est personne qui ne dupe et qui ne soit dupé finalement, Frontin sera le seul gagnant.

J.-P. Audouit,
l'Education nationale (19 janvier 1961).

Plus exact paraît ce bref commentaire de P. Macabru, critique de l'hebdomadaire Arts.

On aurait tort de croire que *Turcaret* est une pièce grave. C'est une pièce sans illusion, ce qu'on ne lui pardonne pas.

P. Macabru,
Arts.

SUJETS DE DEVOIRS ET D'EXPOSÉS

NARRATIONS

● Faites la biographie de M. Turcaret, depuis sa naissance, en vous appuyant sur les données de la pièce.

● Imaginez un souper chez Turcaret.

● Une journée de la Baronne. (Vous pouvez la raconter à la manière de La Bruyère.)

DISSERTATIONS, ESSAIS, EXPOSÉS

Sur les personnages.

● Le personnage de la Baronne : ses traits physiques et moraux ; a-t-elle de la consistance ? La voit-on évoluer, ou son portrait s'enrichit-il ? Y trouvez-vous des faiblesses ou des contradictions imputables à la maladresse de l'auteur ?

● La Baronne de *Turcaret* et la Célimène du *Misanthrope*.

● Turcaret et Alceste.

● Turcaret, Arnolphe (... et Georges Wilson, si vous l'avez vu dans ces rôles).

● Sous Louis XV, une grande dame (Mᵐᵉ Tallard) vit entrer le financier Samuel Bernard à Versailles, et écrivit : « Tout le monde croit voir Turcaret ou le Bourgeois gentilhomme... » Comment pensez-vous qu'on puisse mettre sur le même pied ces deux personnages de théâtre ?

● Les personnages de la pièce sont-ils des pantins, des types sociaux, des personnages ?

Sur la pièce.

● Après avoir lu, ou surtout vu la pièce, discutez les remarques de F. Sarcey (voir Jugements, p. 138), dont il ressort que *Turcaret* ne peut passer la rampe.

● Que pensez-vous de ce jugement trouvé dans une revue, en 1961 : « Si on la prend pour ce qu'elle est, une comédie d'intrigue, l'œuvre de Lesage est fort divertissante. Bien construite, bien menée, on ne lui reprochera qu'un dénouement qui la fait basculer dans le vaudeville, et surtout de n'avoir pas su plus joyeusement exploiter une situation qui aurait ravi Feydeau, et nous avec lui. »

● Peut-on présenter *Turcaret* comme une série de « tranches de vie » ? (Vous pouvez vous aider d'une comparaison avec la structure de *l'Avare,* du *Misanthrope.*)

● « *Turcaret,* c'est la peinture d'une société que le désir de l'argent, poussé à son paroxysme, met en danger. Désir d'argent envahissant au point de détruire les êtres qui en sont la proie et toute la classe dont ils font partie. Cette passion de l'or et des « affaires » condamne les individus à un « huis clos » d'où, comme dans la pièce de Sartre, ils ne peuvent plus sortir. Dans l'appartement de la Baronne, l'amour et l'amitié, les rapports humains et sociaux normaux n'ont plus de raison d'être. A la critique sociale, se superpose l'étude psychologique.

« Que cette épidémie d'argent anéantisse certains individus et leur société n'est pas grave; mais que le vase clos se brise et répande son eau croupie là où se trouvent encore des êtres sains, et c'est la société tout entière qui est contaminée.

« Le regard que Lesage jette sur cette collection de coquins distingués est étonnant de clairvoyance et de mépris, mais aussi d'ironie et d'humour. Et cela donne la pièce la plus féroce et la plus drôle. »

Voilà comment Jacques Fornier, qui mit en scène *Turcaret* en 1964, voit la pièce. Que pensez-vous de l'éclairage qu'il lui donne? Quels points de mise en scène sont impliqués dans ce commentaire?

● Le même metteur en scène résume ainsi la *morale* de la pièce, la leçon qu'elle donne même aux spectateurs du XXᵉ siècle : « Toute société qui a pour fondement l'argent, porte en soi les germes de sa destruction. » Étudiez ce jugement en vous aidant de la pièce et du « Commentaire du Diable boiteux », page 129. Dites votre opinion sur la portée morale de cette comédie.

● Illustrez à l'aide d'exemples pris dans *Turcaret* cette remarque d'Émile Faguet sur Lesage : « On ne s'aperçoit pas qu'il est hardi, parce qu'il est hardi sans déclamation. »

TABLE DES MATIÈRES

Mame Imprimeurs - 37000 Tours
Dépôt légal Janvier 1973. - N° 23815. - N° de série Éditeur 15496
IMPRIMÉ EN FRANCE. *(Printed in France).* - 870 080 I. Mai 1990.